Viel Spaß beim Stricken!
Gutes Gelingen!
Deine Erika

Helene Weinold

Schicke Socken selber stricken

Für Kinder und Erwachsene
Mit genauen Anleitungen

Augustus Verlag

Inhalt

Vorwort

Erinnern Sie sich noch an Ihre ersten selbstgestrickten Socken? Meine waren aus dunkelblauer Wolle (übrigens bestand die Handarbeitslehrerin damals auf *Regia*-Garn), und ich weiß zwar noch, mit wieviel Fleiß ich daran gestrickt habe, aber ich glaube nicht, daß ich die Ergebnisse je getragen habe.

Das ist mehr als 20 Jahre her, und inzwischen trage ich Handstrick-Socken nicht nur ausgesprochen gerne, sondern stricke sie auch mit viel Spaß an Farben und Mustern. An zwei, drei Fernseh-Abenden wird ein Paar Socken fertig, und vom vierten oder fünften Strumpf an mußte ich auch für Ferse, Käppchen und Spitze nicht mehr nach der Anleitung wühlen.

Ein Garnknäuel und fünf Nadeln passen in jede Tasche, so daß ich auch unterwegs im Zug oder als Beifahrerin im Auto an meinem Strickstrumpf weiterarbeiten kann. Und über Geschenke brauche ich mir neuerdings auch kaum noch Gedanken zu machen. Sie werden selbst sehen: Die handgestrickten Socken sind so beliebt, daß Sie bald eine Warteliste anlegen müssen.

Kein Wunder, denn die Möglichkeiten sind vielfältig. Sie reichen von einfarbigen Socken mit Eins-rechts-eins-links-gestrickten Bündchen über Ringelsocken, von Strümpfen mit farbigem Einstrickmotiv bis zu rustikalen Kreationen mit Zopf- und Aranmustern oder zu kunstvoll verzierten Trachtenstrümpfen. Ob zu Jeans oder zum Bauernrock, zum Anzug oder zur zünftigen Lederhose: Zu vielen Kleidungsstilen passen die selbstgestrickten Socken. In diesem Buch finden Sie bestimmt Ihre persönlichen Favoriten.

Ich danke der Firma *Schachenmayr*, ganz besonders Stefanie Schweigerer und Gisela Klöppner, für ihr Entgegenkommen und ihre Unterstützung mit Modellen und Anleitungen.

Ihnen wünsche ich viel Erfolg beim Stricken und noch mehr Freude beim Tragen Ihrer ganz individuellen Socken.

Helene Weinold

Material

Gerade fürs Sockenstricken sind keine großen Investitionen nötig. Zwei Knäuel Garn und ein Spiel Stricknadeln, vielleicht noch ein Kärtchen Beilaufgarn – das ist schon alles. Es lohnt sich deshalb nicht, an der Qualität zu sparen. Schließlich ist das Wertvollste an Ihren selbstgestrickten Socken die Zeit, die Sie dafür aufgebracht haben.

Garn

Socken werden in den Schuhen stark strapaziert und oft gewaschen. Sie müssen also einiges aushalten. Das Garn muß deshalb nicht nur hautfreundlich und weich, sondern auch robust und problemlos waschbar sein. Gute Strumpfgarne bestehen deshalb aus Schurwolle mit einem Anteil an Kunstfaser, meist Polyamid. Für die meisten Modelle in diesem Buch wurde das Garn *Schachenmayr Regia 4fädig* verwendet, das neben 75 Prozent Schurwolle mit Superwash-Ausrüstung 25 Prozent Polyamid enthält. (Wo *Regia 6fädig* verwendet wird, ist dies eigens vermerkt.) Es hat eine Lauflänge von etwa 210 Metern je 50-Gramm-Knäuel und wird mit Nadeln der Stärke 2 bis 3 verstrickt. Dazu gibt es dünne Beilaufgarne, die Sie in Ferse und Spitze mit verstricken können, um die Socken haltbarer zu machen. Selbst wenn Sie im allgemeinen kein Beilaufgarn verwenden: Für Sportsocken oder Strümpfe, die in Bergstiefeln oder Arbeitsschuhen getragen werden, sollten Sie darauf nicht verzichten.

Um sicherzugehen, daß Ihre Socken später auch passen, sollten Sie vor dem ersten Paar, das sie mit einer Garnqualität stricken, eine Maschenprobe anfertigen. Für die gezeigten Modelle gilt, wenn nichts anderes angegeben ist: 30 Maschen und 42 Reihen, glatt rechts gestrickt, ergeben ein Quadrat von zehn mal zehn Zentimetern. Wenn Sie sehr fest stricken, also mehr Maschen und Reihen benötigen, um das Quadrat zu vollenden, wechseln Sie zu dickeren Nadeln; wenn Sie locker stricken, also mit weniger Maschen und Reihen auf das Probequadrat kommen, nehmen Sie dünnere Nadeln.

Welche Garnfarben Sie wählen, hängt natürlich ganz von Ihrem Geschmack ab. Die Zeiten, in denen Strumpfgarn prinzipiell grau, braun oder blau – für Modemutige mit Mouliné- oder Tweed-Effekt – sein mußte, sind längst vorbei. Heute können Sie unter weit mehr als hundert Farben und Mischungen aussuchen, was zu Ihrer Garderobe paßt.

Grundsätzlich gilt: Je einfacher das Strickmuster ist, desto bunter dürfen die Socken werden. Wenn Sie außer dem Bündchen alles glatt

rechts stricken, können Sie die Socken in allen erdenklichen Farben »ringeln« oder die neuen, farbig bedruckten Garne verwenden, die von selbst ein unregelmäßiges Sprenkelmuster ergeben. Solche Garne oder gar mehrere Farben sind hingegen für aufwendige Zopf- oder Aranstrickereien weniger geeignet, weil die Farbeffekte vom Muster ablenken würden. Reste in verschiedenen Farben lassen sich in einem Paar »Reste-Socken« verarbeiten. Entweder stricken Sie bunte Ringel, oder Sie setzen Ferse und Spitze farblich ab.

Nadeln

Socken werden grundsätzlich mit einem sogenannten »Spiel« aus fünf Nadeln in Runden gestrickt. Rundstricknadeln eignen sich wegen des geringen Umfangs der Strickerei nicht.

Für die im Buch gezeigten Socken werden Nadeln der Stärke 2 bis 3 benötigt, die es in einer Länge von 15 bis 20 Zentimetern gibt. Im allgemeinen reichen die kürzeren Nadeln. Die Nadelstärke hängt davon ab, ob Sie fester (=> dickere Nadeln) oder lockerer (=> dünnere Nadeln) stricken.

Ob Sie lieber mit blanken oder lieber mit matt beschichteten Nadeln stricken, ist Gewohnheitssache. Meiner Erfahrung nach gleitet das Garn auf den beschichteten Nadeln besser. Neuerdings gibt es vergoldete Stricknadeln, mit denen angeblich auch Nickel-Allergiker problemlos stricken können.

Zubehör

Außer Garn und Stricknadeln brauchen Sie kaum etwas. Eine dicke Stopfnadel leistet beim Vernähen der Fäden gute Dienste, und eine überdimensionale Sicherheitsnadel nimmt eventuell die stillgelegten Maschen auf, während Sie die Ferse stricken. Eine Zopfnadel mit Ausbuchtung erleichtert das Stricken von Zopf- und Flechtmustern, und wenn Sie sich für ein farbiges Einstrickmuster entschieden haben, verhindert ein spezieller Fingerhut mit mehreren Ösen, daß sich die Garne verheddern. Und schließlich sollten Sie anspruchsvoll bei der Wahl Ihrer Schere sein: Eine scharfe, spitze Näh- oder Stickschere muß es sein, denn bei der Handarbeit ist wenig so frustrierend wie das »Abquetschen« der Fäden mit einer stumpfen Schere.

Die Technik des Sockenstrickens

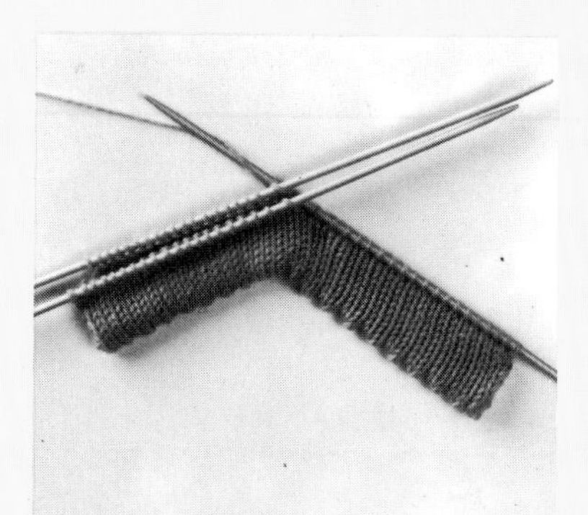

Abb. 1: Maschen wie üblich anschl. und z. B. 1 M re, 1 M li im Wechsel str. oder einen **doppelten Rand** z. B. mit »Mausezähnchen« str.: 10 Rd. rechts str., in 11. Rd. * 2 M re zus.str., 1 Umschl., ab * fortl. wdh. In 12. Rd. alle M und Umschl. re str. Nach 22 Rd. ab Anschlag die Anschlag-M auf eine Hilfsnd. fassen und hinter die linke Arbeitsnadel legen. In 23. Rd. jeweils 1 M von der linken Arbeitsnd. mit 1 M von der Hilfsnd. re zus.str. Für den Gummieinzug ca. 3 M offenlassen. Die 11. Rd. = Lochrunde bildet nach dem Zusammenstr. den »Mausezähnchenrand«.
Im gewählten Muster weiterstr., bis die benötigte Schafthöhe erreicht ist. Rundenbeginn ist in rückw. Mitte.

Abb. 2: Die Ferse: Die M der 2. und 3. Nd. stillegen und mit den M der 1. und 4. Nd. gerade gl. re weiterstr., dabei können 2 M nach der 1. Randm. und 2 M vor der letzten Randm. in Hin- und Rückr. links gestr. werden. Sie erscheinen dann als Krausrippen. Es werden so viele Reihen gestrickt, wie Fersen-M auf den Nd. sind, also z. B. bei 60 M Anschlag wird mit 30 M die Ferse 30 R hoch gestr. An den Seiten werden 15 Krausrippen gezählt.

Abb. 3: Für **das dreiteilige Käppchen** die Fersen-M gleichmäßig auf 3 Nd. verteilen, z. B. 3 x je 10 M. In folg. Hinr. die Maschen der 1. und 2. Nd. re str., dabei * die letzte M der 2. Nd. re abh., die anschließende M der 3. Nd. re str. und die abgeh. M darüberziehen, Arbeit wenden, 1 M li abh., die M der 2. Nd. li str. bis zur letzten M der 2. Nd., dann diese M mit der anschließenden M der 1. Nd. li zus.str., Arbeit wenden, 1 M li abh., folg. M der 2. Nd. bis zur letzten M re str., dann ab * fortl. wdh., bis alle M von der 1. und 3. Fersen-Nd. aufgebraucht sind.

Abb. 4: Für **das vierteilige Käppchen** die Mitte der Fersen-M bezeichnen. Nach z. B. 30 Rd. ab Fersenbeginn * in folg. Hinr. 4 M über die Mitte hinausstr., Arbeit wenden, 1 M li abh., 3 M li bis zur Mitte und 4 M li über die Mitte hinausstr., Arbeit wenden, die 1. M der folg. Hinr. rechts abh., folg. 3 M re bis zur Mitte str. Ab * fortl. wdh., jedoch jedesmal nach der Mitte 1 M mehr abstr., bis beiderseits jeweils soviel Maschen sind, wie $^1/_4$ der Fersen-M ausmacht, (evtl. 1 M mehr, wenn ungerade Maschenzahl). Bei 30 Fersen-M sind das z. B. je 8 M = 16 Mittelteil-M. In jeder folg. Hinr. * die letzte M des Mittelteiles abh., folg. M re str. und die abgeh. M überziehen, wenden, 1 M li abh., li zurückstr. und die letzte M des Mittelteiles mit folg. M li zus.str., wenden, die 1. M der folg. R li abh., die Mittelteil-M re str. und **.
Von * bis ** fortl. wdh., bis alle M beiderseits der Mittelteil-M aufgebraucht sind.

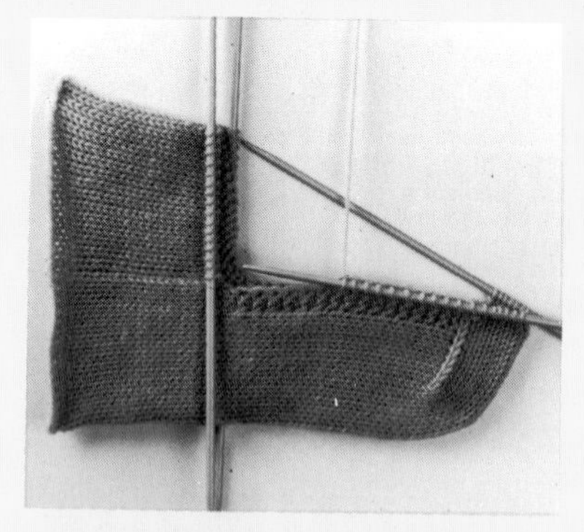

Abb. 5: Auffassen der Fersenmaschen: Die M des Mittelteiles auf 2 Nd. verteilen. Die Mitte ist der Rundenbeginn. Mit der 1. Nd. nach den Mittelteil-M die anschließenden Randmaschen der Ferse auffassen, und zwar durch beide Maschenglieder stechen und rechts abstr. = bei unserem Beispiel 15 M. Die stillgelegten M der 2. und 3. Nd. abstr. und mit der 4. Nd. die Randmaschen des anderen Fersenrandes wie vorher auffassen und re abstr. Auf 4. und 1. Nd. sind mehr M als bei Fersenbeginn auf der Nadel und zwar um so viele M, wie die Hälfte der Mittelteil-M ausmacht.

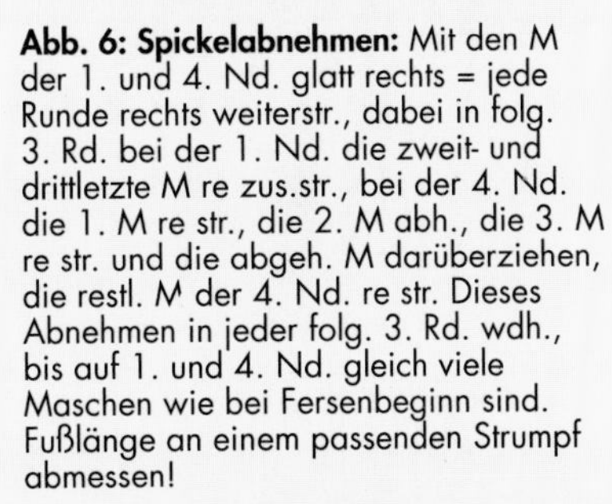

Abb. 6: Spickelabnehmen: Mit den M der 1. und 4. Nd. glatt rechts = jede Runde rechts weiterstr., dabei in folg. 3. Rd. bei der 1. Nd. die zweit- und drittletzte M re zus.str., bei der 4. Nd. die 1. M re str., die 2. M abh., die 3. M re str. und die abgeh. M darüberziehen, die restl. M der 4. Nd. re str. Dieses Abnehmen in jeder folg. 3. Rd. wdh., bis auf 1. und 4. Nd. gleich viele Maschen wie bei Fersenbeginn sind. Fußlänge an einem passenden Strumpf abmessen!

Abb. 7: Einfaches Schlußabnehmen: Am Ende jeder Nd. die zweit- und drittletzte Masche re zus.str. Beim ersten Drittel der Abnehmerunden jeweils 2 Runden glatt rechts dazwischenarb., beim 2. Drittel jeweils 1 Runde glatt rechts dazwischenarb., dann in jeder Runde abnehmen, bis nur noch 8 M übrig sind. Diese 8 M mit doppeltem Faden zus.ziehen, Fd. vernähen. Berechnung der Abnehmerunden: Zählt die Runde z. B. 60 M, so sollen 52 M abgenommen werden. In einer Abnehmerunde werden jeweils 4 M abgen., also braucht man 13 Abnehmerunden, um alle 52 M abzunehmen. 1/3 von 13 Rd. sind 4 Rd. mit 1 Rd. Rest, das heißt: Nach der 1., 2., 3., 4. und 5. Abnehmerunde jeweils 2 Rd. glatt rechts str., nach der 6., 7., 8. und 9. Abnehmerunde jeweils 1 Rd. glatt re str., die 10., 11., 12. und 13. Abnehmerunde ohne Zwischenrunden arb. Restl. 8 M mit dopp. Fd. zus.ziehen, Fd. vernähen.

Abb. 8: Bandförmiges Schlußabnehmen: Die M der 1. Nd. bis zu den letzten 3 M rechts str., die zweit- und drittletzte M re zus.str., 1 M re str. Bei der 2. Nd. die 1. M re str., die 2. M abh., die 3. M re str., dann die abgeh. M darüberziehen, restl. M der 2. Nd. re str. Bei der 3. Nd. wie bei der 1. Nd. abn., bei der 4. Nd. wie bei der 2. Nd. abn. Nach der 1. Abnehmerunde 3 Rd. glatt rechts str., nach der 2. und 3. Abnehmerunde je 2 Rd. glatt re str., nach der 4., 5. und 6. Abnehmerunde je 1 Rd. glatt re str., dann ohne Zwischenrunden in jeder folg. Runde abnehmen, bis nur noch 8 – 12 M auf den Nadeln sind. Die M vom oberen Teil des Sockens mit den M der Sohle im Maschenstich zusammennähen oder die M mit dopp. Fd. zus.ziehen und den Fd. vernähen.

Abkürzungen

abn.	=	abnehmen
Fd.	=	Faden/Fäden
li	=	links
M	=	Masche(n)
Nd.	=	Nadel(n)
R	=	Reihe(n)
Rd.	=	Runde(n)
re	=	rechts
str.	=	stricken
Umschl.	=	Umschlag
wdh.	=	wiederholen
zun.	=	zunehmen
zus.str.	=	zusammenstricken

Größentabelle für Socken aus Strumpfgarn

(LL 210 m/50 g; Maschenprobe 30 M/42 R = 10 x 10 cm

Größe	22/23	24/25	26/27	28/29	30/31	32/33	34/35	36/37	38/39	40/41	42/43	44/45	46/47
Anschlag in Maschen	44	46	48	50	52	54	56	58	60	62	64	68	72
Fersenbreite in Maschen	22	23	24	25	26	27	28	29	30	31	32	34	36
Fersenhöhe in Reihen	22	24	24	26	26	28	28	30	30	32	32	34	36
Maschenaufnahme beidseitig	11	12	12	13	13	14	14	15	15	16	16	17	18
Ferse bis Spitzenbeginn in cm	8	9	10	11	11,5	13	13	14,5	16	16	17	17	18
Fußlänge gesamt in cm	15	17	18	19	20,5	22	23	24,5	26	27	28	29	30

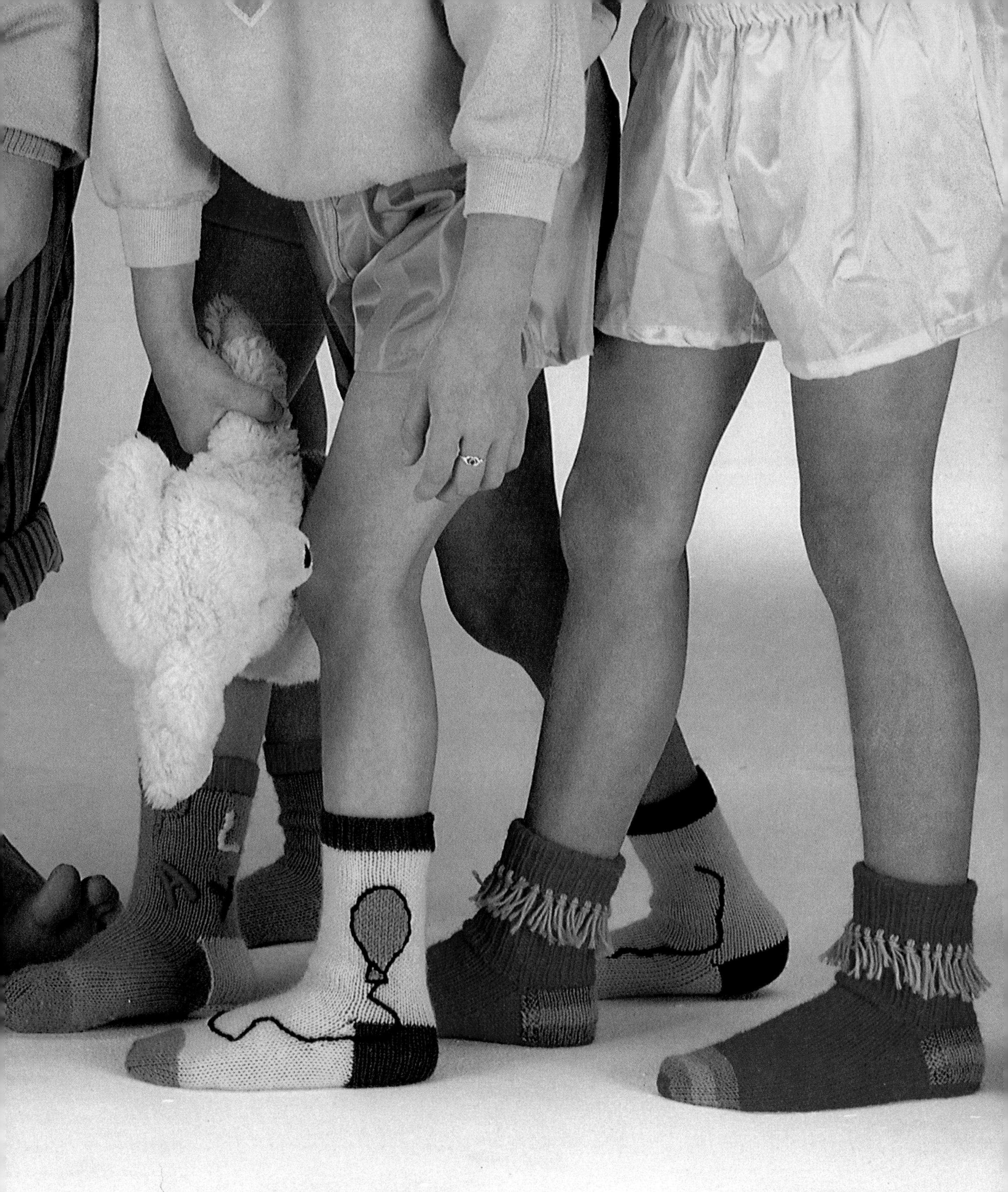

Kinder, Kinder

Kindersöckchen mit Pompon

(Abb. S. 10, links) Größe 30/31

Material:

Lfd. Nr.	Qualität	Farbe	Verbrauch
1	Regia 4fädig	2041 gelb	50 g
2	Regia 4fädig	2100 pistazie	50 g
3	Regia 4fädig	2054 hochrot	Rest

Nadeln
Nadelspiel Nr. 2 – 3.

Bündchenmuster = A
1 Masche rechts, 1 Masche links im Wechsel stricken.

Muster B
Glatt rechts = in Hinreihen rechts, in Rückreihen links oder in Runden jede Runde rechts stricken.

Arbeitsanleitung
In 1. Farbe 52 Maschen anschlagen und im Bündchenmuster stricken. Nach ca. 16 cm die Ferse und das dreiteilige Käppchen glatt rechts in 3. Farbe wie auf Seite 8 beschrieben arbeiten. Mit 2. Farbe im Muster B weiterstricken, dabei nach dem Auffassen der Fersenmaschen das Spickelabnehmen arbeiten. Nach ca. 11,5 cm ab Ferse mit 1. Farbe weiterstricken und gleichzeitig mit dem bandförmigen Schlußabnehmen beginnen. Gesamte Fußlänge 20,5 cm. Beide Söckchen gleich arbeiten.

Für jedes Söckchen einen Pompon in 3. Farbe von ca. 3 cm Durchmesser anfertigen. Jeden Schaft ca. 7 cm nach außen umlegen und auf jede hintere Mitte 1 Pompon ca. 3 cm vom Anschlagrand entfernt nähen.

Kindersöckchen mit Ringeln

(Abb. S. 10, 2. v. li.) Größe 26/27

Material:

Lfd. Nr.	Qualität	Farbe	Verbrauch
1	Regia 4fädig	2099 flachs	50 g
2	Regia 4fädig	2081 flieder	Rest
3	Regia 4fädig	2054 hochrot	Rest
4	Regia 4fädig	2051 smaragd	Rest

Nadeln
Nadelspiel Nr. 2 – 3.

Bündchenmuster = A
1 Masche rechts, 1 Masche links im Wechsel stricken.

Muster B
Glatt rechts = in Hinreihen rechts, in Rückreihen links oder in Runden rechts in Uni, nach Strickschema oder Farbfolge stricken.

Farbfolge
4 Runden in 1. Farbe, 4 Runden in 3. Farbe, 8 Runden in 1. Farbe, 4 Runden in 2. Farbe, 8 Runden in 1. Farbe, 4 Runden in 4. Farbe, 8 Runden in 1. Farbe, dann mit 2. Farbe bis zum Schluß weiterarbeiten.

Arbeitsanleitung
In 3. Farbe 48 Maschen anschlagen und 2 cm im Bündchenmuster stricken. Im Muster B nach Strickschema weiterarbeiten = fortlaufend von Pfeil A bis Pfeil B stricken. Nach 34 Runden = ca. 8 cm ab Bündchenmuster die Ferse und das dreiteilige Käppchen in 1. Farbe wie auf Seite 8 beschrieben arbeiten.

Nach Farbfolge weiterstricken, dabei nach dem Auffassen der Fersenmaschen das Spickelabnehmen arbeiten. Nach ca. 10 cm ab Ferse mit dem bandförmigen Schlußabnehmen beginnen. Gesamtfußlänge ca. 18 cm. Beide Socken gleich arbeiten.

Strickschema für den Schaft

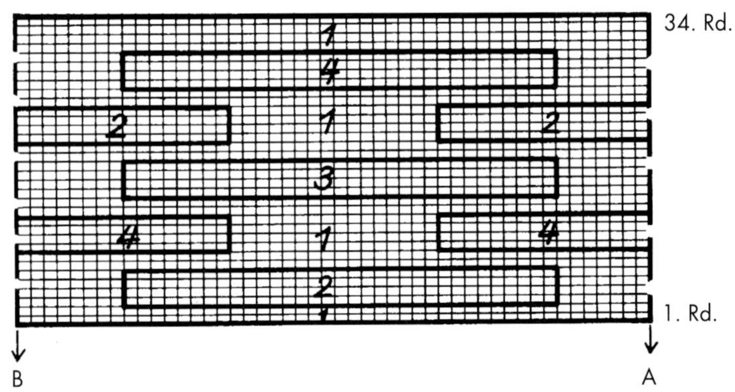

Erklärungen zum Strickschema
Im Strickschema bedeutet ein Kästchen 1 Masche und 1 Runde. Jede Farbfläche wird mit einem separaten Knäuel gearbeitet. Beim Farbwechsel innerhalb der Reihe werden die Fäden auf der Arbeitsrückseite verkreuzt, damit keine Löcher entstehen. Die Zahlen im Strickschema geben die Farbe an und entsprechen der laufenden Numerierung in der Materialangabe.

Kindersöckchen mit Zackenmuster

(Abb. S. 10, 3. v. li.) Größe 26/27

Material:

Lfd. Nr.	Qualität	Farbe	Verbrauch
1	Regia 4fädig	1988 lavendel	50 g
2	Regia 4fädig	2059 minze	Rest
3	Regia 4fädig	2096 kristall	Rest
4	Regia 4fädig	2054 hochrot	Rest

Nadeln
Nadelspiel Nr. 2 – 3.

Bündchenmuster = A
1 Masche rechts, 1 Masche links im Wechsel stricken.

Muster B
Glatt rechts = in Hinreihen rechts, in Rückreihen links oder in Runden rechts in Uni, in Streifen oder nach Zählmuster stricken.

Arbeitsanleitung
In 1. Farbe 48 Maschen anschlagen und 2 cm im Bundmuster stricken. Im Muster B weiterarbeiten, und zwar 4 Runden in 1. Farbe, 4 Runden in 4. Farbe, 4 Runden in 2. Farbe, 4 Runden in 4. Farbe, 4 Runden in 3. Farbe, 8 Runden nach Zählmuster und 6 Runden in 1. Farbe stricken. Nun die Ferse und das dreiteilige Käppchen in 2. Farbe wie auf Seite 8 beschrieben arbeiten, dann mit 1. Farbe weiterstricken, dabei nach dem Auffassen der Fersenmaschen das Spickelabnehmen arbeiten. Nach ca. 10 cm ab Ferse noch 4 Runden in 3. Farbe, 4 Runden in 4. Farbe, 4 Runden in 2. Farbe und die restlichen Runden in 1. Farbe stricken, wobei in 2. Runde des 1. Streifens mit dem bandförmigen Schlußabnehmen begonnen wird. Gesamte Fußlänge 18 cm. Beide Socken gleich arbeiten.

Zählmuster

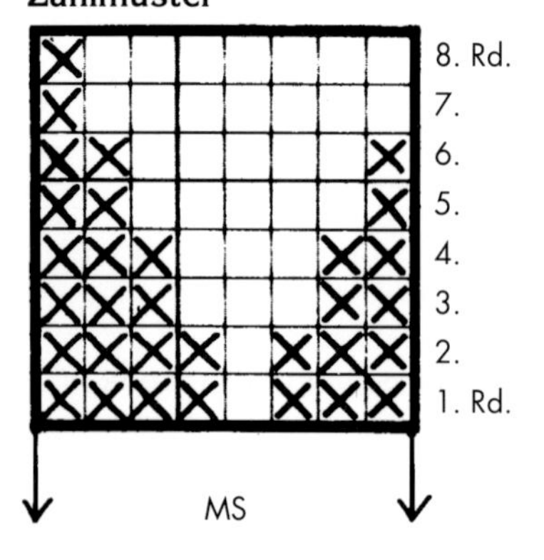

Zeichenerklärung
☐ = 1 Masche in 1. Farbe
☒ = 1 Masche in 3. Farbe
MS = Mustersatz

Kindersöckchen mit Buchstaben

(Abb. S. 11, 3. v. re.) Größe 28/29

Material:

Lfd. Nr.	Qualität	Farbe	Verbrauch
1	Regia 4fädig	2059 minze	50 g
2	Regia 4fädig	2054 hochrot	Rest
3	Regia 4fädig	2041 gelb	Rest
4	Regia 4fädig	1988 lavendel	Rest
5	Regia 4fädig	2051 smaragd	Rest

Nadeln
Nadelspiel Nr. 2 – 3.

Bündchenmuster = A
1 Masche rechts, 1 Masche links im Wechsel stricken.

Muster B
Glatt rechts = in Hinreihen rechts, in Rückreihen links oder in Runden jede Runde rechts stricken.

Stickskizze

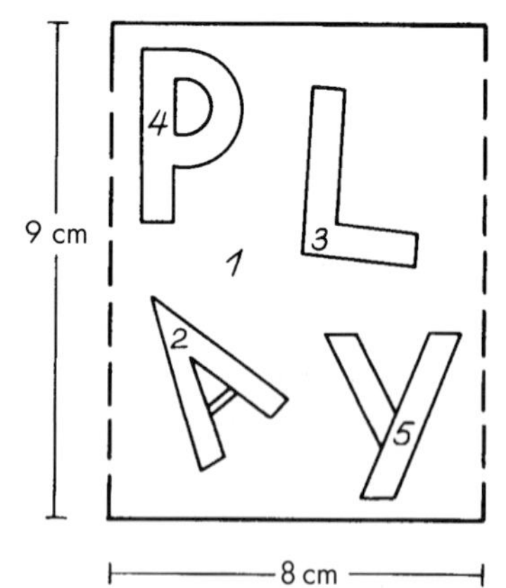

Arbeitsanleitung
In 2. Farbe 50 Maschen anschlagen und ca. 2 cm im Bündchenmuster = A stricken. Mit 1. Farbe im Muster B weiterarbeiten und nach ca. 9 cm ab Bündchenmuster in 3. Farbe die Ferse und das dreiteilige Käppchen wie auf Seite 8 beschrieben stricken. Mit 1. Farbe weiterarbeiten, dabei nach dem Auffassen der Fersenmaschen das Spickelabnehmen arbeiten. Nach ca. 10,5 cm ab Ferse mit 4. Farbe weiterstricken und in 3. Runde ab Farbwechsel mit dem bandförmigen Schlußabnehmen beginnen. Gesamte Fußlänge ca. 19 cm. Den Schaft des Söckchens an der Außenseite nach Stickskizze mit Buchstaben in 2., 3., 4. und 5. Farbe im Plattstich besticken. Beide Socken gleich arbeiten.

Kindersöckchen mit Ballonmotiv

(Abb. S. 11, 2. v. re.) Größe 24/25

Material:

Lfd. Nr.	Qualität	Farbe	Verbrauch
1	Regia 4fädig	2041 gelb	50 g
2	Regia 4fädig	2092 russisch-grün	Rest
3	Regia 4fädig	2059 minze	Rest
4	Regia 4fädig	2066 schwarz	Rest

Nadeln
Nadelspiel Nr. 2 – 3.

Bündchenmuster = A
1 Masche rechts, 1 Masche links im Wechsel stricken.

Muster B
Glatt rechts = in Hinreihen rechts, in Rückreihen links oder in Runden jede Runde rechts stricken. Die Luftballons werden nachträglich in 3. Farbe mit Maschenstichen nach Zählmuster aufgestickt.

Arbeitsanleitung
In 2. Farbe 46 Maschen anschlagen und 2 cm im Bündchenmuster = A stricken. Im Muster B mit 1. Farbe weiterarbeiten und nach ca. 9,5 cm ab Bündchenmuster mit 2. Farbe die Ferse und das dreiteilige Käppchen wie auf Seite 8 beschrieben arbeiten.
Mit 1. Farbe weiterstricken, dabei nach dem Auffassen der Fersenmaschen das Spickelabnahmen arbeiten. Nach ca. 9 cm ab Ferse mit 3. Farbe weiterstricken und in 2. Runde ab Farbwechsel mit dem bandförmigen Schlußabnehmen beginnen. Gesamte Fußlänge 17 cm.

Auf die Außenseite des Schaftes mit Maschenstichen in 3. Farbe einen Luftballon nach Zählmuster aufsticken. Die äußeren Konturen des Ballons mit Stielstichen in 4. Farbe umranden und für die Schnur vom Ballonende aus über die Vorfuß-Oberseite hinweg und die Schaftinnenseite hinauf bis ca. 3 cm unterhalb des Bündchens Stielstiche in 4. Farbe sticken.

Beide Socken gleich arbeiten.

Zählmuster

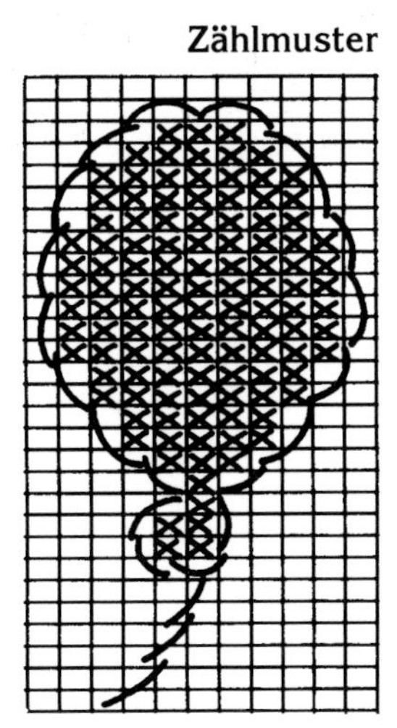

Kindersöckchen mit Fransen

(Abb. S. 11, rechts) Größe 26/27

Material:

Lfd. Nr.	Qualität	Farbe	Verbrauch
1	Regia 4fädig	2002 kirsch	100 g
2	Regia 4fädig	2100 pistazie	Rest
3	Regia 4fädig	2101 curry	Rest

Nadeln
Nadelspiel Nr. 2 – 3.

Bündchenmuster = A
1 Masche rechts, 1 Masche links im Wechsel stricken.

Muster B
Glatt rechts = in Hinreihen rechts, in Rückreihen links oder in Runden rechts in Uni oder nach Farbfolge stricken.

Farbfolge
6 Reihen bzw. Runden in 2. Farbe, 6 Reihen bzw. Runden in 3. Farbe, 6 Reihen bzw. Runden in 2. Farbe, restliche Reihen bzw. Runden in 1. Farbe.

Arbeitsanleitung
In 1. Farbe 48 Maschen anschlagen und im Bundmuster stricken. Nach ca. 16 cm noch 1 Runde rechts stricken, dann die Ferse glatt rechts nach Farbfolge und das dreiteilige Käppchen mit 1. Farbe wie auf Seite 8 beschrieben arbeiten. Mit 1. Farbe im Muster B weiterstricken, dabei nach dem Auffassen der Fersenmaschen das Spickelabnehmen arbeiten. Nach ca. 9 cm ab Ferse nach Farbfolge weiterstricken und in 5. Runde des 1. Farbstreifens mit dem bandförmigen Schlußabnehmen beginnen. Gesamte Fußlänge 18 cm. Beide Socken gleich arbeiten.

Den Bündchenrand ca. 4 cm breit nach außen umlegen und über dem Anschlagrand in jede linke Masche mit 3. Farbe und doppeltem Faden je 1 Franse von ca. 2,5 cm Länge einknüpfen.

Zeichenerklärung
☐ = 1 Masche und 1 Runde in 1. Farbe
⊠ = 1 Maschenstich über 1 Masche und 1 Runde in 3. Farbe
⌒ = Stielstiche in 4. Farbe

Mädchen-Kniestrümpfe

Größe 28/29

Material:

Lfd. Nr.	Qualität	Farbe	Verbrauch
1	Regia 4fädig Tweed	2956 natur	ca. 100 g

Accessoires
Gummilitze, ca. 40 cm

Nadeln
Nadelspiel Nr. 2 – 3.

Glatt rechts
Die Maschen in Hinreihen rechts, in Rückreihen links oder in Runden jede Runde rechts stricken.

Grundmuster
In 1. Runde 1 Masche rechts, 1 Masche links im Wechsel stricken, in 2., 3. und 4. Runde die Maschen stricken, wie sie erscheinen, in 5. Runde die Maschen versetzen, also 1 Masche links, 1 Masche rechts im Wechsel stricken, in 6., 7. und 8. Runde die Maschen stricken, wie sie erscheinen.
Die 1. – 8. Runde fortlaufend wiederholen.

Musterstreifen
In den ungeraden Runden nach Strickschrift arbeiten, in den geraden Runden die Maschen wie sie erscheinen stricken. Das Muster zählt zwischen Pfeil A und B 37 Maschen. 1 x die 1. – 24. Runde stricken, 4 x die 9. – 24. Runde und 1 x die 25. – 40. Runde stricken = 104 Runden insgesamt.

Arbeitsanleitung
74 Maschen anschlagen, 6 Runden glatt rechts stricken, in folgender Runde für den Mäusezähnchenbug ✻ 2 Maschen rechts zusammenstricken, 1 Umschlag auf die Nadel nehmen und ab ✻ fortlaufend wiederholen. In folgender Runde alle Maschen und die Umschläge rechts stricken. Dann 6 Runden glatt rechts stricken und in folgender Runde jeweils 1 Masche mit der dazugehörigen Anschlag-Masche rechts zusammenstricken, wobei die Anschlag-Masche jeweils hinter der Arbeit aufgefaßt und auf die linke Nadel gelegt wird. (Dann erst zusammenstricken.) Die letzten 3 Maschen als Schlitz für den Gummieinzug offenlassen. Nach diesem Rand mit den Maschen der 1. und 4. Nadel im Grundmuster und mit den Maschen der 2. und 3. Nadel nach Strickschrift von Pfeil A bis B weiterarbeiten. Nach ca. 12 cm = 48 Runden ab

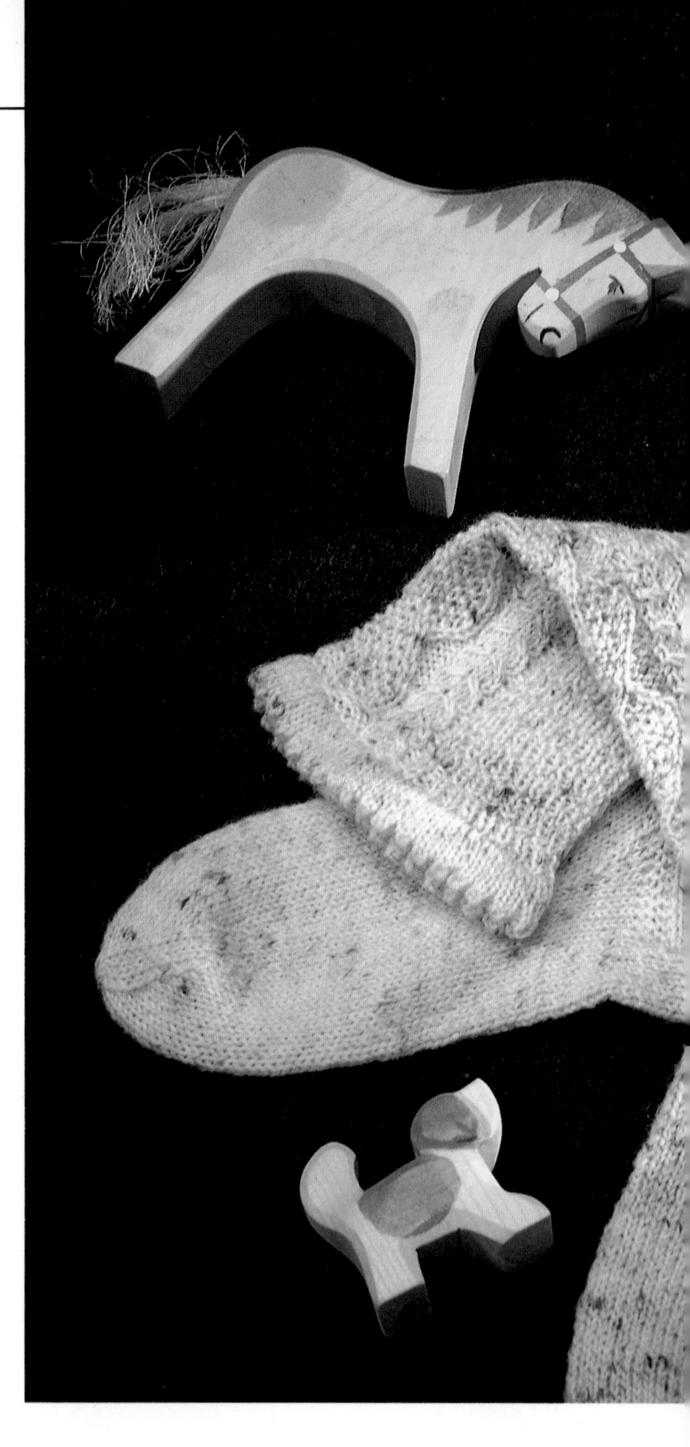

Musterbeginn für das Wadenabnehmen die Mittelmasche des Grundmusters bezeichnen und mit der Masche davor und danach links zusammenstricken. Die bezeichnete Masche weiterhin links stricken. Dieses Abnehmen noch 6 x in jeder 6. folgenden Runde und 3 x in jeder 4. folgenden Runde wiederholen, = je 10 abgenommene Maschen auf 1. und 4. Nadel. Nach 28 cm = 104 Runden ab Musterbeginn mit allen Maschen glatt rechts weiterstricken und die Maschen so verteilen, daß auf 1. und 4. Nadel je 14 Maschen und auf 2. und 3. Nadel je 13 Maschen sind. Ferse und

Zeichenerklärung

oder = 1 linke Masche

= rechte Masche

= 1 Masche abheben, wobei der Faden hinter der Arbeit liegt, und in folgender Runde die Masche rechts stricken.

= 1 Masche auf Hilfsnadel **vor** die Arbeit legen, folgende Masche links, dann die Hilfsnadel-Masche rechts stricken.

= 1 Masche auf Hilfsnadel **hinter** die Arbeit legen, folgende Masche rechts, dann die Hilfsnadel-Masche links stricken.

oder = 1 Masche auf Hilfsnadel **hinter** die Arbeit legen, folgende Masche rechts, dann die Hilfsnadel-Masche im kleinen Perlmuster stricken.

oder = 1 Masche auf Hilfsnadel **vor** die Arbeit legen, folgende Masche im kleinen Perlmuster, dann die Hilfsnadel-Masche rechts stricken.

= 1 Masche im kleinen Perlmuster in der Hinreihe und in der Rückreihe rechts stricken.

= 1 Masche im kleinen Perlmuster in der Hin- und Rückreihe links stricken.

= 2 Maschen auf Hilfsnadel **hinter** die Arbeit legen, folgende Masche rechts, dann die 1. Masche von der Hilfsnadel im kleinen Perlmuster, die 2. Masche rechts stricken.

= 1 Masche auf Hilfsnadel **vor** die Arbeit legen, folgende Masche rechts, die nächste Masche im kleinen Perlmuster, dann die Hilfsnadel-Masche rechts stricken.

= 1 Masche auf Hilfsnadel **vor** die Arbeit legen, folgende 2 Maschen rechts, dann die Hilfsnadel-Masche rechts stricken.

= 2 Maschen auf Hilfsnadel **hinter** die Arbeit legen, folgende Masche rechts, dann die 2 Maschen von der Hilfsnadel rechts stricken.

Fuß stricken, wie auf Seite 8 und 9 beschrieben. Den zweiten Strumpf ebenso stricken.
Gummilitze in den dafür vorgesehenen Tunnel am Schaft einziehen. Achtung: Der Gummi darf nicht zu eng sein, sonst schneidet er unangenehm ein.

Strickschrift

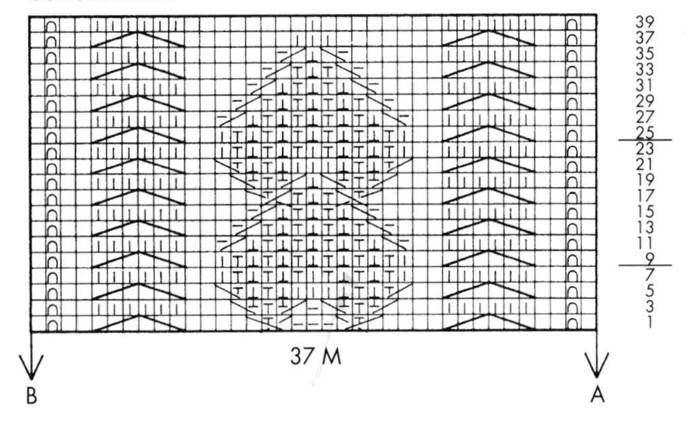

Teeny-Socken

(Abb. S. 18, links) Größe 38/39

Material:

Lfd. Nr.	Qualität	Farbe	Verbrauch
1	Regia 4fädig	2101 curry	50 g
2	Regia 4fädig	2051 smaragd	50 g
3	Regia 4fädig	2000 königsblau	50 g

Nadeln
Nadelspiel Nr. 2 – 3.

Muster A
Glatt rechts = in Hinreihen rechts, in Rückreihen links oder in Runden jede Runde rechts in Uni oder nach Farbfolge a oder b stricken.

Farbfolge a
20 Runden in 1. Farbe, 8 Runden in 2. Farbe, 2 Runden in 3. Farbe, 8 Runden in 2. Farbe, 8 Runden in 1. Farbe, 2 Runden in 3. Farbe, 8 Runden in 1. Farbe, 15 Runden in 2. Farbe = 69 Runden insgesamt.

Farbfolge b
15 Runden in 2. Farbe, 6 Runden in 3. Farbe, 6 Runden in 1. Farbe, ✻ 6 Runden in 3. Farbe, 6 Runden in 2. Farbe, 6 Runden in 1. Farbe, ab ✻ noch 1 x wiederholen = 63 Runden insgesamt.

Arbeitsanleitung
Mit 1. Farbe 60 Maschen anschlagen und glatt rechts in Runden nach Farbfolge a stricken. Nach 69 Runden = ca. 16,5 cm mit 1. Farbe die Ferse und das dreiteilige Käppchen wie auf Seite 8 beschrieben arbeiten, dann nach Farbfolge b weiterstricken, dabei nach der Ferse das Spickelabnehmen arbeiten.
Nach Beendigung der Farbfolge b mit 3. Farbe weiterstricken und nach ca. 16 cm ab Ferse mit dem bandförmigen Schlußabnehmen beginnen. Gesamtfußlänge ca. 26 cm. Beide Socken gleich arbeiten.

Die Teeny-Socken sind auf Seite 18 / 19 abgebildet. Die Anleitung für Ferse und Fuß finden Sie auf Seite 8/9.

Teeny-Socken

(Abb. S. 18, rechts) Größe 38/39

Material:

Lfd. Nr.	Qualität	Farbe	Verbrauch
1	Regia 4fädig	2066 schwarz	50 g
2	Regia 4fädig	540 royal	Rest
3	Regia 4fädig	2051 smaragd	Rest
4	Regia 4fädig	2054 hochrot	Rest
5	Regia 4fädig	2101 curry	Rest
6	Regia 4fädig	2100 pistazie	Rest

Nadeln
Nadelspiel Nr. 2 – 3.

Bündchenmuster = A
1 Masche rechts, 1 Masche links im Wechsel stricken.

Muster B
Glatt rechts = in Hinreihen rechts, in Rückreihen links oder in Runden rechts in Uni oder nach Farbfolge stricken.

Farbfolge
✻ Je 8 Runden in 2., 3., 4., 5. und 6. Farbe = 40 Runden stricken und ab ✻ wiederholen.

Arbeitsanleitung
In 1. Farbe 60 Maschen anschlagen und ca. 4 cm im Bündchenmuster stricken. Im Muster B nach Farbfolge 40 Runden = ca. 9,5 cm stricken, dann die Ferse und das dreiteilige Käppchen in 1. Farbe wie auf Seite 8 beschrieben arbeiten. Nach Farbfolge weiterstricken, dabei nach dem Auffassen der Fersenmaschen das Spickelabnehmen arbeiten. Nach 64 Runden = ca. 15 cm ab Ferse mit 1. Farbe weiterstricken, dabei in 4. Runde mit dem bandförmigen Schlußabnehmen beginnen. Gesamte Fußlänge 26 cm. Beide Socken gleich arbeiten.

Teeny-Socken

(Abb. S. 19, links) Größe 34/35

Material:

Lfd. Nr.	Qualität	Farbe	Verbrauch
1	Regia 4fädig	2059 minze	100 g
2	Regia 4fädig	2041 gelb	50 g
3	Regia 4fädig	2054 hochrot	Rest
4	Regia 4fädig	1988 lavendel	Rest

Nadeln
Nadelspiel Nr. 2 – 3.

Bündchenmuster = A
1 Masche rechts, 1 Masche links im Wechsel stricken.

Muster B
Glatt rechts = in Hinreihen rechts, in Rückreihen links oder in Runden jede Runde rechts stricken.
Die Punkte, Streifen und Dreiecke werden nachträglich nach Stickschema aufgestickt. Beim Stickschema ist der gesamte Schaft und die obere Hälfte des Füßlings gezeichnet; die untere Hälfte des Füßlings, die Ferse und die Fußspitze sind nicht gezeichnet. Die Zahlen im Stickschema geben die Farbe an und entsprechen der laufenden Numerierung in der Materialangabe.
M = rückwärtige Mitte

Arbeitsanleitung
In 1. Farbe 56 Maschen anschlagen und 4 cm im Bündchenmuster stricken. Im Muster B weiterstricken und nach 46 Runden = ca. 11 cm ab Bündchenmuster die Ferse und das dreiteilige Käppchen in 2. Farbe wie auf Seite 8 beschrieben arbeiten. Anschließend mit 1. Farbe weiterstricken, dabei nach dem Auffassen der Fersenmaschen das Spickelabnehmen arbeiten. Nach 54 Runden = ca. 13 cm ab Ferse mit 2. Farbe weiterstricken und in 2. Runde mit dem bandförmigen Schlußabnehmen beginnen. Fußlänge 23 cm. Beide Socken gleich arbeiten und nach Stickschema und Abbildung im Maschenstich besticken.

Stickschema

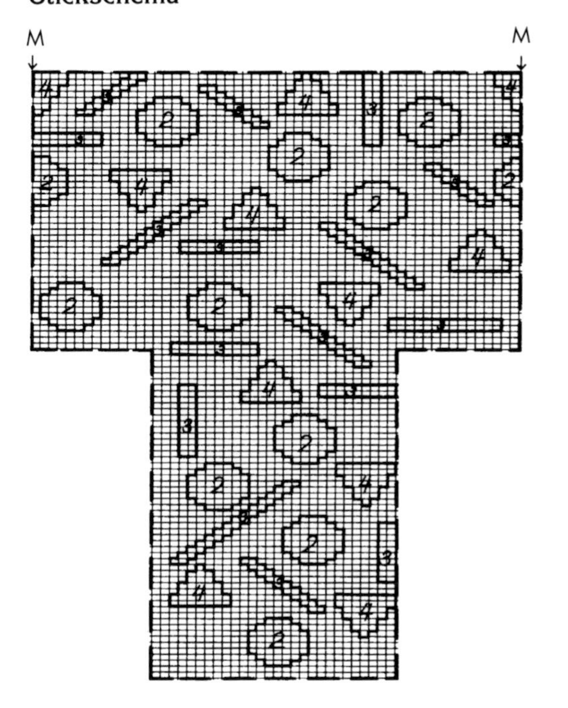

Teeny-Socken

(Abb. S. 19, rechts) Größe 36/37

Material:

Lfd. Nr.	Qualität	Farbe	Verbrauch
1	Regia 4fädig	2098 viola	100 g
2	Regia 4fädig	2059 minze	Rest
3	Regia 4fädig	2041 gelb	Rest

Nadeln
Nadelspiel Nr. 2 – 3.

Bündchenmuster = A
1 Masche rechts, 1 Masche links im Wechsel stricken.

Muster B
Glatt rechts = in Hinreihen rechts, in Rückreihen links oder in Runden jede Runde rechts in Uni oder nach Farbfolge stricken.

Farbfolge
2 Runden in 3. Farbe, ✻ 6 Runden in 1. Farbe, 2 Runden in 3. Farbe, ab ✻ wiederholen.

Arbeitsanleitung
Mit 1. Farbe 58 Maschen anschlagen und ca. 2,5 cm im Bündchenmuster = A stricken, dann glatt rechts weiterarbeiten, und zwar 4 Runden in 1. Farbe, 18 Runden nach Farbfolge und 22 Runden in 1. Farbe stricken. Nach ca. 10,5 cm ab Bündchenmuster die Ferse mit dem dreiteiligen Käppchen in 2. Farbe wie auf Seite 8 beschrieben arbeiten, dann 19 Runden in 1. Farbe und 42 Runden nach Farbfolge stricken, dabei nach der Ferse das Spickelabnehmen arbeiten. Nach ca. 14,5 cm ab Ferse mit 2. Farbe weiterstricken und gleichzeitig mit dem bandförmigen Schlußabnehmen beginnen. Gesamte Fußlänge ca. 24,5 cm. Beide Socken gleich arbeiten.

Maschenprobe für alle Modelle:
30 Maschen und 42 Reihen bzw. Runden = 10 x 10 cm

Mit Säbel und Scharia
EUROPE
What's News—

Schon vor dem Embargo war der Handel mit dem
Ihren Gewinn von morgen planen:
Freitag neu
im Handel!
THE WEST IS
MOVING EAST.
135 BISHOPSGATE
LONDON EC2M 3UR
COUNTY NATWEST
THE MONDAY INTERVIEW

Stadtfein

Herrensocken mit Zopfstreifen

(Abb. S. 22, links) Größe 42/43

Material:

Lfd. Nr.	Qualität	Farbe	Verbrauch
1	Regia 4fädig	1868 hellgrau	100 g
2	Regia 4fädig	2092 russisch-grün	50 g
3	Regia 4fädig	2000 königsblau	50 g

Nadeln
1 Paar Schnellstricknadeln Nr. 2 – 3, Nadelspiel Nr. 2 – 3.

Bündchenmuster = A
1 Masche rechts, 1 Masche links im Wechsel stricken.

Muster B
Glatt rechts = in Hinreihen rechts, in Rückreihen links oder in Runden jede Runde rechts stricken.

Muster C
Mit 12 Maschen ein Zopfmuster in den Hinreihen nach Strickschrift für Muster C, in den Rückreihen die Maschen wie sie erscheinen stricken. Für jede Farbe einen extra Knäuel verwenden und die Fäden auf der Arbeitsrückseite bei jedem Farbwechsel verkreuzen, damit keine Löcher entstehen. Die 1. – 16. Reihe fortlaufend wiederholen.

Arbeitsanleitung
Der Schaft wird in offener Arbeit gestrickt. In 1. Farbe 64 Maschen anschlagen und ca. 4 cm im Bündchenmuster stricken. Im Muster B in 1. Farbe und im Muster C in 1., 2. und 3. Farbe weiterstricken, dabei in 1. Reihe verteilt 6 Maschen zunehmen = 70 Maschen und wie folgt einteilen: Randmasche, 13 Maschen Muster B, 12 Maschen Muster C, 43 Maschen Muster B, Randmasche. Nach 90 Reihen = ca. 21 cm ab Bündchenmuster am Anfang und Ende der Reihe je 1 Masche abketten und gleichzeitig auf die Nadel verteilt 4 Maschen abnehmen = 64 Maschen. Anschließend in 3. Farbe die Ferse und das dreiteilige Käppchen im Muster B wie auf Seite 8 beschrieben arbeiten. Mit 1. Farbe in Runden im Muster B weiterstricken, dabei nach dem Auffassen der Fersenmaschen das Spickelabnehmen arbeiten. Nach ca. 17 cm ab Ferse mit 2. Farbe weiterstricken und gleichzeitig mit dem bandförmigen Schlußabnehmen beginnen. Gesamte Fußlänge 28 cm. Schaft zusammennähen. Bei der 2. Socke den Zopfstreifen gegengleich arbeiten = in 1. Reihe nach dem Bündchenmuster Randmasche, 43 Maschen im Muster B in 1. Farbe, 12 Maschen im Muster C in 1., 2. und 3. Farbe, 13 Maschen im Muster B in 1. Farbe, Randmasche.

Strickschrift für Muster C

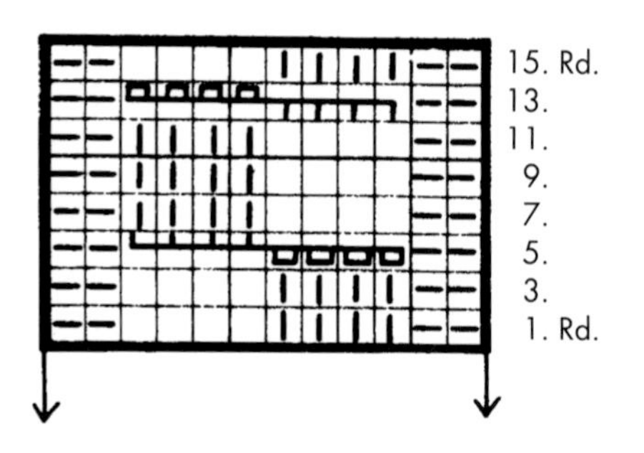

Zeichenerklärung

I = in 2. Farbe in Hinreihen 1 rechte Masche, in Rückreihen 1 linke Masche

□ = in 3. Farbe in Hinreihen 1 rechte Masche, in Rückreihen 1 linke Masche

– = in 1. Farbe in Hinreihen 1 linke Masche, in Rückreihen 1 rechte Masche

IIII□□□□ = 4 Maschen auf Hilfsnadel **vor** die Arbeit legen, die folgenden 4 Maschen rechts in 3. Farbe, dann die 4 Hilfsnadel-Maschen rechts in 2. Farbe stricken.

□□□□IIII = 4 Maschen auf Hilfsnadel **vor** die Arbeit legen, die folgenden 4 Maschen rechts in 2. Farbe, dann die 4 Hilfsnadel-Maschen rechts in 3. Farbe stricken.

Herrensocken mit Musterbordüre

(Abb. S. 22, rechts) Größe 42/43

Material:

Lfd. Nr.	Qualität	Farbe	Verbrauch
1	Regia 4fädig	1992 natur	100 g
2	Regia 4fädig	324 marine	50 g

Nadeln
Nadelspiel Nr. 2 – 3.

Bündchenmuster = A
1 Masche rechts, 1 Masche links im Wechsel stricken.

Muster B
Mit 1. Farbe glatt rechts = in Hinreihen rechts, in Rückreihen links oder in Runden jede Runde rechts stricken.

Muster C
Mit 1. und 2. Farbe glatt rechts in Norwegertechnik nach Zählmuster für Muster C stricken, dabei den Mustersatz zwischen den Doppelpfeilen fortlaufend wiederholen. 1 x die 1. – 17. Runde arbeiten.

Zählmuster für Muster C

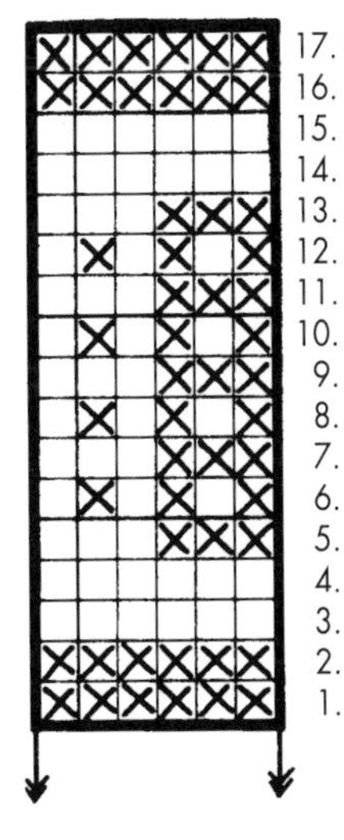

Zeichenerklärung
☐ = 1 Masche in 1. Farbe
☒ = 1 Masche in 2. Farbe

Arbeitsanleitung
In 1. Farbe 64 Maschen anschlagen und ca. 5 cm im Bundmuster stricken. Danach 17 Runden in 1. und 2. Farbe im Muster C stricken, dabei in 1. Runde 2 Maschen zunehmen und in letzter Runde wieder abnehmen, dann in 1. Farbe im Muster B weiterarbeiten. Nach ca. 10 cm ab Bündchenmuster die Ferse, das dreiteilige Käppchen und nach dem Auffassen der Fersenmaschen das Spickelabnehmen wie auf Seite 8 und 9 beschrieben arbeiten. Nach ca. 13 cm ab Ferse 17 Runden im Muster C in 1. und 2. Farbe stricken, dabei in 1. Runde 2 Maschen zunehmen und in letzter Runde wieder abnehmen, dann in 1. Farbe weiterarbeiten und nach ca. 17 cm ab Ferse mit dem bandförmigen Schlußabnehmen beginnen. Gesamte Fußlänge 28 cm. Beide Socken gleich arbeiten.

Herrensocken mit Stickmotiv

(Abb. S. 23, links) Größe 44/45

Material:

Lfd. Nr.	Qualität	Farbe	Verbrauch
1	Regia 4fädig	2000 königsblau	150 g
2	Regia 4fädig	2051 smaragd	Rest
3	Regia 4fädig	2002 kirsch	Rest
4	Regia 4fädig	2111 oliv	Rest

Nadeln
Nadelspiel Nr. 2 – 3.

Bündchenmuster = A
1 Masche rechts, 1 Masche links im Wechsel stricken.

Farbfolge
4 Runden 4. Farbe, 5 Runden 3. Farbe, 5 Runden 2. Farbe.

Muster B
Glatt rechts = in Hinreihen rechts, in Rückreihen links oder in Runden jede Runde rechts stricken, dabei nachträglich das Motiv nach Zählmuster im Maschenstich auf die Außenseite der Schäfte sticken.

Arbeitsanleitung
In 4. Farbe 68 Maschen anschlagen und 14 Runden im Bündchenmuster A nach Farbfolge stricken, dann glatt rechts in 1. Farbe weiterarbeiten. Nach ca. 18 cm ab Bündchenmuster A die Ferse mit dem dreiteiligen Käppchen und anschließend das Spickelabnehmen wie auf Seite 8 und 9 beschrieben glatt rechts stricken. In Runden glatt rechts weiterarbeiten und nach ca. 17 cm ab Ferse das bandförmige Schlußabnehmen beginnen. Gesamte Fußlänge 29 cm. Zum Aufsticken des Motivs in rückwärtiger Mitte 31 Runden vom Bündchenmuster aus in Richtung Ferse zählen, dann 23 Maschen nach außen zählen und mit den folgenden 4 Maschen das Motiv beginnen.

Erklärung zum Zählmuster
Die Zahlen im Zählmuster geben die Farbe an und entsprechen der laufenden Numerierung in der Materialangabe.

Zählmuster für linken Socken, rechten Socken gegengleich besticken

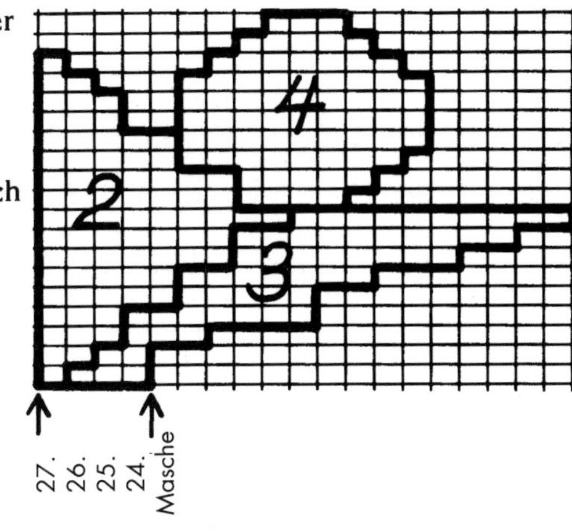

Maschenprobe für alle Modelle:
30 Maschen und 42 Reihen bzw. Runden = 10 x 10 cm

Herrensocken „Landlord“

(Abb. S. 23, rechts) Größe 46/47

Material:

Lfd. Nr.	Qualität	Farbe	Verbrauch
1	Regia 4fädig	1966 braun-rost meliert	150 g
2	Regia 4fädig	2051 smaragd	Rest
3	Regia 4fädig	2104 kastanie	Rest
4	Regia 4fädig	2105 chili	Rest
5	Regia 4fädig	2101 curry	Rest

Nadeln
Nadelspiel Nr. 2 – 3.

Bündchenmuster = A
Mit 1. Farbe 1 Masche rechts, 1 Masche links im Wechsel stricken.

Muster B
Glatt rechts = in Hinreihen rechts, in Rückreihen links oder in Runden jede Runde rechts stricken.

Muster C
Strukturmuster aus rechten und linken Maschen und glatt links mit nachträglich aufgesticktem Motiv nach Strickschema. Jeweils die 1. – 76. Runde stricken. Beim linken Socken jede Runde von Pfeil A bis Pfeil C stricken, beim rechten Socken in jeder Runde 1 x von Pfeil B bis Pfeil C und 1 x von Pfeil A bis Pfeil B stricken.

Zeichenerklärung
- ☐ = 1 linke Masche in 1. Farbe
- ⎕ (senkrechter Strich) = 1 rechte Masche in 1. Farbe
- ⊡ (Punkt) = 1 rechte Masche in 2. Farbe in 3. und 12. Runde oder 1 linke Masche in 1. Farbe, die nachträglich mit 1 Kreuzstich in 2. Farbe bestickt wird
- ☒ = 1 linke Masche in 1. Farbe, nachträglich mit 4. Farbe bestickt
- ⊡ (O) = 1 linke Masche in 1. Farbe, nachträglich mit 5. Farbe bestickt
- ⊡ (V) = 1 linke Masche in 1. Farbe, nachträglich mit 3. Farbe bestickt

Strickschema für linken Socken

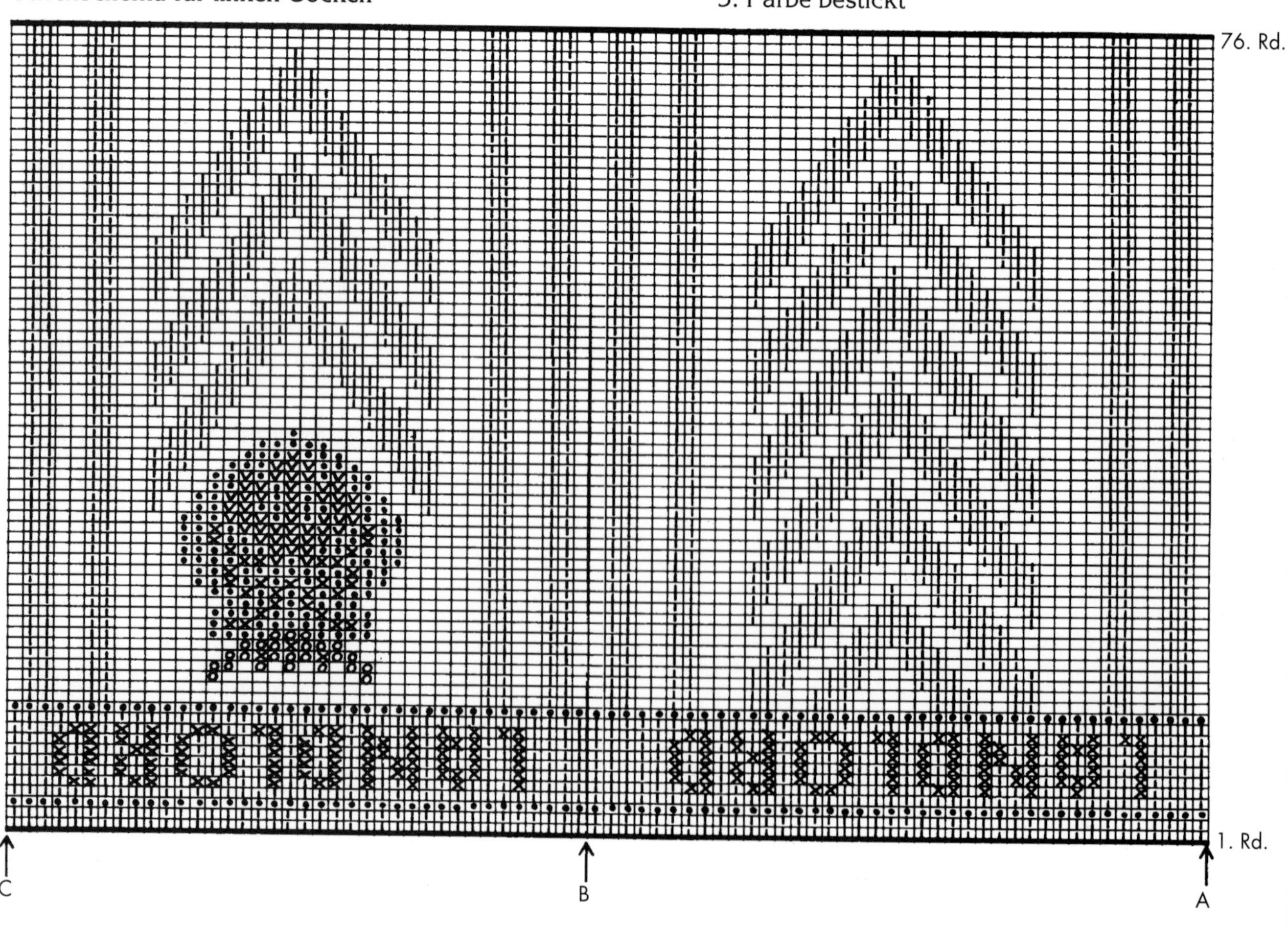

Rote Socken

Größe 38/39

Material:

Lfd. Nr.	Qualität	Farbe	Verbrauch
1	Regia 4fädig	2128 kirschmouliné	100 g

Nadeln
Nadelspiel Nr. 2 – 3.

Bündchenmuster
In Runden 1 Masche rechts, 1 Masche links im Wechsel stricken.

Glatt rechts: In Hinreihen rechts, in Rückreihen links, in Runden jede Runde rechts stricken.

Arbeitsanleitung
Mit 1. Farbe 72 Maschen anschlagen und ca. 3 cm im Bündchenmuster A stricken, dann nach Strickschema weiterarbeiten, dabei in 1. Runde verteilt 6 Maschen zunehmen = 78 Maschen. Nach 76 Runden ab Bündchenmuster glatt rechts in 1. Farbe weiterstricken, dabei in 1. Runde verteilt 6 Maschen abnehmen = 72 Maschen. Wie auf Seite 8 und 9 beschrieben, die Ferse, das dreiteilige Käppchen, das Spickelabnehmen arbeiten und nach ca. 16,5 cm ab Ferse * 2 Runden in 2. Farbe, 4 Runden in 1. Farbe, 2 Runden in 3. Farbe, 4 Runden in 1. Farbe, 2 Runden in 4. Farbe, 4 Runden in 1. Farbe stricken und ab * wiederholen. In der 1. Runde der 3. Farbe mit dem bandförmigen Schlußabnehmen beginnen. Gesamtfußlänge 30 cm.

Grundmuster 1
In ungeraden Runden mit 36 Maschen nach Strickschrift, in geraden Runden die Maschen wie sie erscheinen stricken. 1 x die 1. – 66. Runde stricken.

Grundmuster 2
In ungeraden Runden mit 39 Maschen nach Strickschrift stricken, in geraden Runden die Maschen wie sie erscheinen stricken. In 1. Runde mit 4 Maschen rechts beginnen, dann den Rapport zwischen den Doppelpfeilen 5 x stricken. Die 1. – 4. Runde fortlaufend wiederholen.

Zeichenerklärung

☐ = 1 rechte Masche

– = 1 linke Masche

● = 1 Noppe: aus der Masche 5 Maschen (1 Masche rechts, 1 Umschlag im Wechsel) herausstricken und nur mit diesen 5 Maschen 4 Reihen glatt rechts stricken, dann die 4. – 1. Masche nacheinander über die 5. Masche heben.

= 2 Maschen auf einer Hilfsnadel hinter die Arbeit legen, folgende 2 Maschen rechts, dann die 2 Hilfsnadelmaschen rechts stricken.

= 2 Maschen auf einer Hilfsnadel vor die Arbeit legen, folgende 2 Maschen rechts, dann die 2 Hilfsnadelmaschen rechts stricken.

= 1 Masche auf einer Hilfsnadel hinter die Arbeit legen, folgende 2 Maschen rechts, dann die Hilfsnadelmasche links stricken.

= 2 Maschen auf einer Hilfsnadel vor die Arbeit legen, folgende Masche links, dann die 2 Hilfsnadelmaschen rechts stricken.

= 1 Masche auf einer Hilfsnadel hinter die Arbeit legen, folgende 2 Maschen rechts, dann die Hilfsnadelmasche rechts stricken.

= 2 Maschen auf einer Hilfsnadel vor die Arbeit legen, folgende Masche rechts, dann die beiden Hilfsnadelmaschen rechts stricken.

= 2 Maschen auf einer Hilfsnadel hinter die Arbeit legen, folgende 2 Maschen links, dann die 2 Hilfsnadelmaschen rechts stricken.

= 2 Maschen auf einer Hilfsnadel vor die Arbeit legen, folgende 2 Maschen rechts, dann die beiden Hilfsnadelmaschen links stricken.

Strickschrift

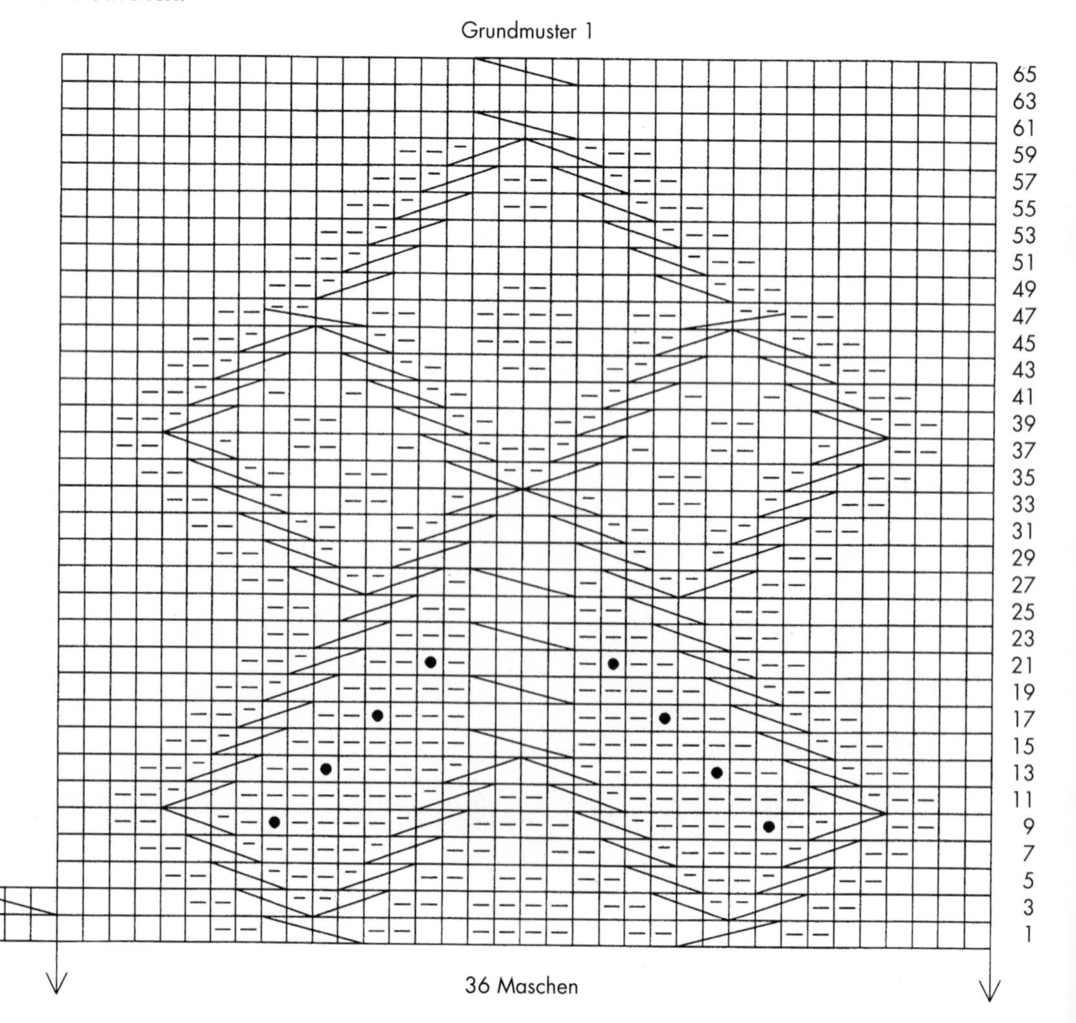

Arbeitsanleitung

Rechter Socken: 60 Maschen = je Nadel 15 Maschen mit dem Nadelspiel Nr. 2 – 3 anschlagen und im Bündchenmuster 2 cm stricken. In letzter Runde auf der 1. Nadel 4 Maschen, auf der 2. Nadel 5 Maschen und auf 3. und 4. Nadel je 3 Maschen zunehmen = auf 1. Nadel 19 Maschen, auf 2. Nadel 20 Maschen und auf 3. und 4. Nadel je 18 Maschen. Mit 1. und 2. Nadel im Grundmuster 2 und mit 3. und 4. Nadel im Grundmuster 1 weiterstricken.

Nach 66 Runden ab Bündchen 2 cm im Bündchenmuster stricken, dabei in 1. Runde die zugenommenen Maschen wieder abnehmen = je Nadel 15 Maschen. Den Fuß glatt rechts arbeiten, wie auf Seite 8/9 beschrieben. Den linken Socken gegengleich arbeiten, d.h. das Grundmuster 1 mit 1. und 2. Nadel, das Grundmuster 2 mit 3. und 4. Nadel arbeiten.

Ringelsocken

Größe 34/35

Material:

Lfd. Nr.	Qualität	Farbe	Verbrauch
1	Regia Tweed 4fädig	2963 königsblau	50 g
2	Regia 4fädig	2002 kirsch	50 g
3	Regia 4fädig	2041 gelb	Rest

Nadeln

Nadelspiel Nr. 2 – 3.

Bündchenmuster

1 Masche rechts, 1 Masche links im Wechsel stricken.

Grundmuster

Glatt rechts = in Hinreihen rechts, in Rückreihen links, bzw. in Runden jede Runde rechts in der Streifenfolge stricken. Streifenfolge: * 5 Runden in 2. Farbe, 5 Runden in 1. Farbe, 2 Runden in 3. Farbe, 5 Runden in 1. Farbe = 17 Runden stricken und ab * fortlaufend wiederholen.

Arbeitsanleitung

Mit Nadeln Nr. 2 – 3 auf 4 Nadeln verteilt in 1. Farbe 56 Maschen = je Nadel 14 Maschen anschlagen und 3 cm im Bündchenmuster stricken. Glatt rechts in der Streifenfolge weiterstricken. Nach 51 Runden ab Bündchen den Fuß glatt rechts in der Streifenfolge arbeiten, wie auf Seite 8/9 angegeben.
Die Ferse und die Spitze werden jedoch glatt rechts in 2. Farbe gestrickt. Beide Socken gleich arbeiten.

Lochmustersocken, weiß

Größe 37/38

Material:

Lfd. Nr.	Qualität	Farbe	Verbrauch
1	Regia 4fädig	600 weiß	100 g

Nadeln
Nadelspiel Nr. 2 – 3.

Bündchenmuster
In Runden linke Maschen stricken.

Grundmuster
Nach der Strickschrift arbeiten, dabei den Mustersatz von 8 M stets wdh. In den nichtgezeichneten Runden alle Maschen und Umschläge rechts stricken. Die 1. – 16. Rd bis zur gewünschten Höhe stets wdh.

Arbeitsanleitung
Mit dem Nadelspiel schlagen Sie 64 Maschen = 16 M auf jeder Nadel an und stricken ca. 6 Rd linke M als Bundmuster, dann 1 Runde rechte Maschen stricken und den Schaft im Lochmuster nach der Strickschrift ca. 18 cm (oder in der gewünschten Höhe) arbeiten.

Die Ferse und Fußsohle und Spitze glatt rechts stricken, das Fußblatt im Lochmuster str. (Maschenzahl teilbar durch 8 und 5 M). Die Ferse wird nur mit den Maschen der 1. und 4. Nadel gearbeitet. Sie können nun die Aufteilung des Schaftmusters korrigieren, in dem Sie die Maschen auf dem Nadelspiel entsprechend umverteilen und eventuell bis zum neuen Anfang noch einige Maschen stricken. Stricken Sie noch 1 Runde und zwar über die 1. und 4. Nadel rechte Maschen, dabei verteilt 4 M abnehmen und die Ferse stricken, wie auf Seite 8 beschrieben. Über die mittleren 29 M der 2. und 3. Nadel ohne Abnahmen bis zur Fußspitze weiter nach der Strickschrift arbeiten (60 M).

Maschenprobe für alle Modelle:
30 Maschen und 42 Reihen bzw. Runden = 10 x 10 cm

Strickschrift

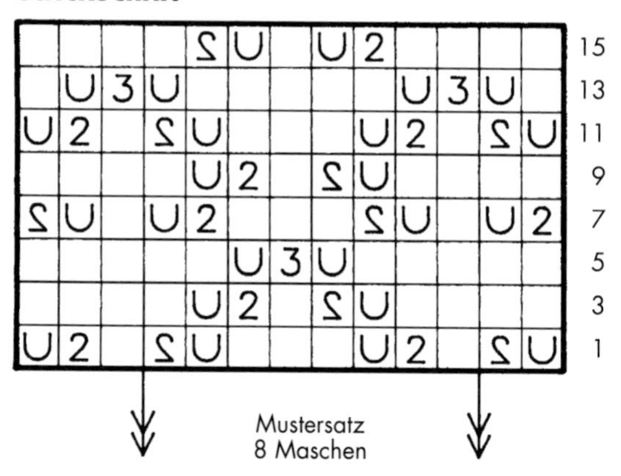

Zeichenerklärung
□ = rechte Maschen
U = Umschlag
2 = 2 Maschen rechts zusammenstricken
S = 2 Maschen rechts überzogen zusammenstricken
3 = 3 Maschen rechts zusammenstricken

Lochmustersocken, lavendel

Größe 37/38

Material:

Lfd. Nr.	Qualität	Farbe	Verbrauch
1	Regia 4fädig	2142 lavendel mel.	100 g

Nadeln
Nadelspiel Nr. 2 – 3.

Bündchenmuster
3 Runden rechte Maschen stricken, 1 Lochmuster-Reihe = 2 Maschen rechts zusammenstricken, 1 Umschlag. Dann noch 3 Runden rechte Maschen stricken.

Grundmuster
Nach der Strickschrift arbeiten, dabei den Mustersatz von 8 M stets wdh. In der 2. Runde alle Maschen und Umschläge rechts stricken. Die 1. und 2. Rd bis zur gewünschten Höhe stets wdh. Die Ferse und Fußsohle und Spitze glatt rechts stricken, das Fußblatt im Lochmuster str. (Maschenzahl teilbar durch 18 und 6 M).

Arbeitsanleitung
Mit dem Nadelspiel schlagen Sie 64 Maschen = 16 M auf jeder Nadel an und stricken die Runden des Bundmusters, dann den Schaft im Lochmuster nach der Strickschrift ca. 18 cm (oder in der gewünschten Höhe) arbeiten.

Die Technik des Sockenstrickens
Die Ferse wird nur mit den Maschen der 1. und 4. Nadel gearbeitet. Sie können nun die Aufteilung des Schaftmusters korrigieren, in dem Sie die Maschen auf dem Nadelspiel entsprechend umverteilen und eventuell bis zum neuen Anfang noch einige Maschen stricken. Stricken Sie noch 1 Runde und zwar über die 1. und 4. Nadel rechte Maschen, dabei verteilt 4 M abnehmen, über die mittleren 25 M der 2. und 3. Nadel ohne Abnahmen bis zur Fußspitze weiter nach der Strickschrift arbeiten (60 M). Für diese Socken paßt es am besten, wenn Sie die mittleren 25 M jeweils mit einem Umschlag beginnen und enden.

Alle Einzelheiten zur Technik des Sockenstrickens finden Sie weiter unten sowie mit Schritt-für-Schritt-Fotos auf Seite 8/9.

Schlagen Sie den oberen Bündchenrand am Lochstreifen nach innen um und nähen Sie den Rand fest.

Strickschrift

Zeichenerklärung
☐ = rechte Masche
☐ = Umschlag
☐ = 3 Maschen rechts überzogen zusammenstricken, d.h. 2 Maschen wie zum Rechtsstricken abheben, die folgende M rechts stricken und die abgehobenen Maschen über die gestrickte Masche ziehen.

Lochmustersocken, efeu

Größe 37/38

Material:

Lfd. Nr.	Qualität	Farbe	Verbrauch
1	Regia 4fädig	2141 efeu mel.	100 g

Nadeln
Nadelspiel Nr. 2 – 3.

Bündchenmuster
In Runden linke Maschen stricken.

Grundmuster
Nach der Strickschrift arbeiten, dabei den Mustersatz von 18 M stets wdh. In den nichtgezeichneten Runden alle Maschen und Umschläge rechts stricken. Die 1. – 8. Rd bis zur gewünschten Höhe stets wdh.

Arbeitsanleitung
Mit dem Nadelspiel schlagen Sie 72 Maschen = 18 M auf jeder Nadel an und stricken ca. 6 Rd linke M als Bundmuster, dann 1 Runde rechte Maschen stricken und den Schaft im Lochmuster nach der Strickschrift ca. 18 cm (oder in der gewünschten Höhe) arbeiten.

Die Ferse und Fußsohle und Spitze glatt rechts stricken, das Fußblatt im Lochmuster str. (Maschenzahl teilbar durch 18 und 6 M). Die Ferse wird nur mit den Maschen der 1. und 4. Nadel gearbeitet. Sie können nun die Aufteilung des Schaftmusters korrigieren, in dem Sie die Maschen auf dem Nadelspiel entsprechend umverteilen und eventuell bis zum neuen Anfang noch einige Maschen stricken. Für diese Socken paßt es am besten, wenn der Zopf jeweils zur Hälfte auf den 4 Nadeln liegt. Stricken Sie noch 1 Runde und zwar über die 1. und 4. Nadel rechte Maschen, dabei verteilt 12 M abnehmen und die Ferse stricken, wie auf Seite 8 beschrieben. Über die mittleren 30 M der 2. und 3. Nadel ohne Abnahmen bis zur Fußspitze weiter nach der Strickschrift arbeiten (60 M).

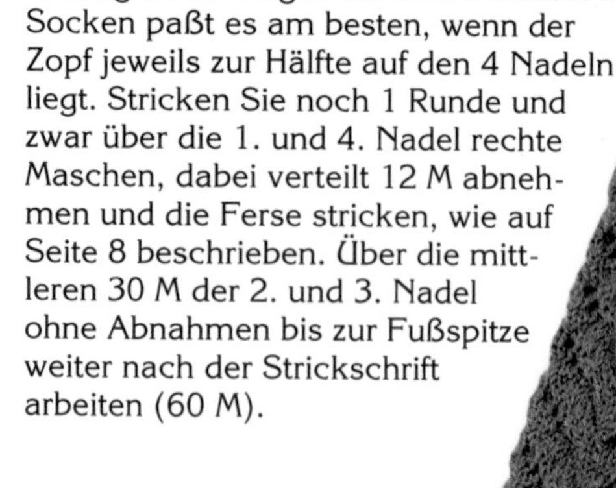

Strickschrift

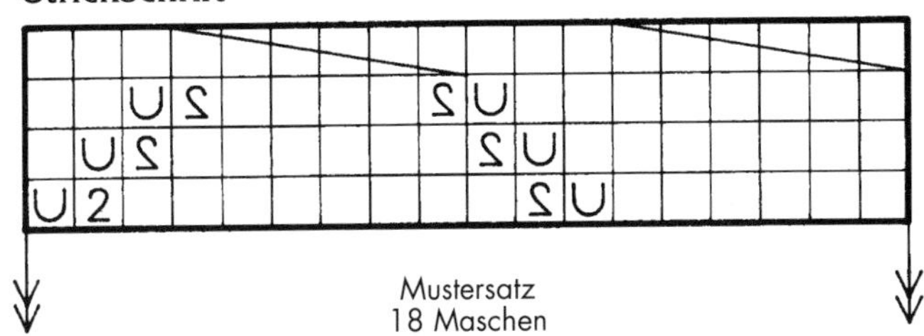

Zeichenerklärung

☐ = rechte Maschen
[U] = Umschlag
[2] = 2 Maschen rechts zusammenstricken
[S] = 2 Maschen rechts überzogen zusammenstricken
[Zopf] = 3 Maschen auf einer Zopfmusternadel **vor** die Arbeit legen, die folgenden 3 M rechts stricken, dann die Maschen der Zopfmusternadel rechts stricken.

Die Technik des Sockenstrickens

Die **Ferse** wird nur mit den Maschen der 1. und 4. Nadel gearbeitet. Die beiden Maschen nach der 1. Randmasche und vor der letzten Randmasche stricken Sie in jeder Reihe links. Nachdem Sie soviele Reihen, wie Fersenmaschen vorhanden sind, gestrickt haben, verteilen Sie die Maschen gleichmäßig auf 3 Nadeln und arbeiten das **Käppchen:** In folgender Hinreihe stricken Sie die Maschen von der 1. und 2. Nadel rechts bis auf die letzte Masche der 2. Nadel, ✻ heben diese ab, stricken die anschließende Masche der 3. Nadel rechts und heben die abgehobene Masche darüber, wenden, heben die 1. Masche links ab, stricken die Maschen der 2. Nadel bis auf die letzte Masche links und stricken diese letzte Masche mit der anschließenden Masche der 1. Nadel links zusammen, wenden, heben die 1. Masche links ab, stricken bis vor die letzte Masche der 2. Nadel und wiederholen ab ✻ so oft, bis alle Maschen der 1. und 3. Nadel aufgebraucht sind. Die Maschen des Mittelteils verteilen Sie gleichmäßig auf 2 Nadeln, Rundenbeginn ist in der Mitte. Mit der 1. Nadel stricken Sie nach dem Mittelteil aus jeder Fersenrandmasche 1 Masche, stricken die Maschen der 2. und 3. Nadel rechts und stricken aus jeder Randmasche des anderen Fersenrandes je 1 Masche. Um auf allen Nadeln wieder die gleiche Maschenzahl zu erhalten, stricken Sie in jeder 3. folgenden Runde bei der 1. Nadel die zweit- und drittletzte Masche rechts zusammen, bei der 4. Nadel stricken Sie die 1. Masche rechts, heben die 2. Masche ab, stricken die 3. Masche rechts und heben die abgehobene Masche darüber = rechts überzogen zusammenstricken. Danach stricken Sie glatt rechts bis Spitzenbeginn weiter. Für die Spitze stricken Sie bei der 1. und 3. Nadel die zweit- und drittletzte Masche rechts zusammen, bei der 2. und 4. Nadel die 2. und 3. Masche rechts überzogen zusammen. Dieses Zusammenstricken wiederholen Sie noch 1 x in 4. folgender Runde, 2 x in jeder 3. folgenden Runde, 3 x in jeder 2. folgenden Runde, dann in jeder folgenden Runde, bis nur noch 8 Maschen übrig sind. Diese ziehen Sie mit doppeltem Faden zusammen und vernähen diesen.

Größentabelle für die Lochmustersocken (S. 30 – 33)

Größe	22/23	24/25	26/27	28/29	30/31	32/33	34/35	36/37	38/39	40/41	42/43	44/45	46/47
Anschlag in Maschen	60	60	60	60	70	70	70	70	80	80	80	90	90
Schaftlänge nach Bund in cm	14	14	14	14	18	18	18	18	22	22	22	22	22
Abnahmen in Maschen nach Schaft	16	14	12	10	18	16	14	12	20	18	16	22	18
Maschenzahl nach Abnahme	44	46	48	50	52	54	56	58	60	62	64	68	72
Fersenbreite in Maschen	22	23	24	25	26	27	28	29	30	31	32	34	36
Fersenhöhe in Reihen	22	24	24	26	26	28	28	30	30	32	32	34	36
Maschenaufnahme beidseitig	11	12	12	13	13	14	14	15	15	16	16	17	18
Ferse bis Spitzenbeginn in cm	8	9	10	11	11,5	13	13	14,5	16	16	17	17	18
Fußlänge gesamt in cm	15	17	18	19	20,5	22	23	24,5	26	27	28	29	30

Damensocken mit Rosenmotiv

Material:

Lfd. Nr.	Qualität	Farbe	Gr. 34 – 39	Gr. 40 – 47
1	Regia 4fädig	2141 efeu meliert	100 g	150 g
2	Regia 4fädig	2143 leinen meliert	50 g	50 g
3	Regia 4fädig	2139 brombeer meliert	50 g	50 g

Nadeln
Nadelspiel Nr. 2 – 3.

Bündchenmuster
1 Masche rechts, 1 Masche links im Wechsel stricken.

Grundmuster
Glatt rechts, in Runden jede Masche rechts.

Zählmuster
Den jeweiligen Rapport fortlaufend wiederholen. Passen Sie die Anschlag-Maschen in der Tabelle (S. 9) der Teilbarkeit der einzelnen Muster an.

Zeichenerklärung
☒ = 1 Maschenstich in 3. Farbe
⊡ = 1 Maschenstich in 1. Farbe
☐ = 1 Masche in 2. Farbe
⊞ = 1 Masche in 1. Farbe

Arbeitsanleitung
Für die gewünschte Größe schlagen Sie bitte die Maschen nach der Tabelle in 1. Farbe an. 20 Runden im Bündchenmuster A., 10 Runden glatt rechts und die Bordüre 1 nach Strickschrift in Norwegertechnik stricken. In 2. Farbe 30 Reihen glatt rechts stricken, nochmals die Bordüre 1 einstricken und mit 1. Farbe im Bündchenmuster A noch 10 Runden stricken.
Die Rosen nach Stickschema 1 x außen und 1 x innen einsticken. Mit der Ferse beginnen. Ferse und Fuß in Farbe 1 glatt rechts stricken, wie auf Seite 8/9 beschrieben.

Zählmuster für Bordüre 1

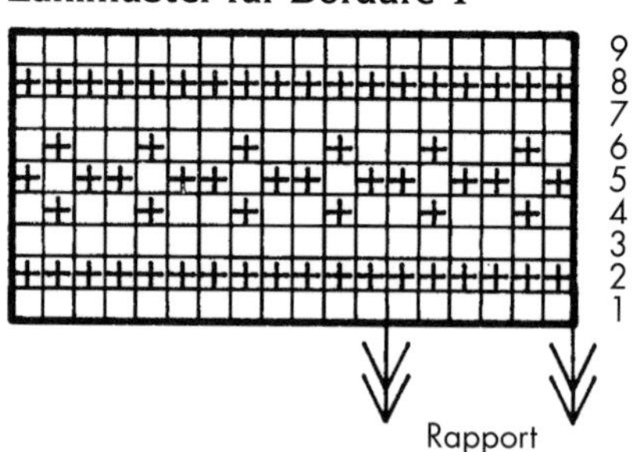

Stickschema

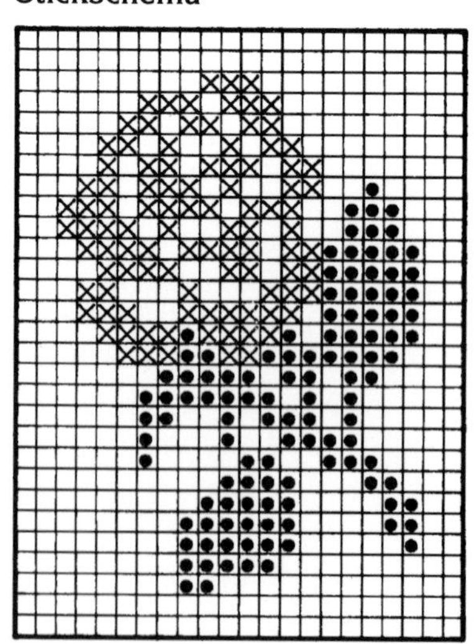

Maschenprobe für alle Modelle:
30 Maschen und 42 Reihen bzw. Runden = 10 x 10 cm

1992
CHATEAU
COURCELLES
BOULEVARD
HAUSSMANN
MALESHERBES
B. DES ITALIENS
B. POISSONNIERE
QUAI
VOLTAIRE
DE LOWENDAL
INVALIDES
BOUL
GARIBALDI
PORT-ROYAL
B^D ST MARCEL
DE L'HOPITAL
BOULEVARD
ARAGO
DES GOBELINS
AUGUSTE
BLANQUI
BOUL^D VINCENT
PLACE D'ITALIE
AVENUE
DU G^AL LECLERC
BRUNE
RESERVOIR DE MONTSOURIS

City-Socken mit Zopfmuster

Material:

			Damensocken		Herrensocken	
Lfd. Nr.	Qualität	Farbe	Gr. 34 – 39	Gr. 40 – 47	Gr. 34 – 39	Gr. 40 – 47
1	Regia 4f.	2143 leinen meliert	100 g	150 g	–	–
2	Regia 4f.	2140 borke meliert	–	–	100 g	150 g

Nadeln
Nadelspiel Nr. 2 – 3.

Bündchenmuster A
2 Maschen rechts, 2 Maschen links im Wechsel stricken.

Bündchenmuster B
1. Runde: ✻ 1 Masche links, 2 Maschen auf einer Hilfsnadel vor die Arbeit legen, die 2 folgenden Maschen rechts, die Hilfsnadelmaschen rechts stricken, ab ✻ fortlaufend wiederholen.

2. – 5. Runde: 1 Masche links, 4 Maschen rechts im Wechsel stricken.

Die 1. – 5. Runde fortlaufend wiederholen.

Grundmuster
Glatt rechts, in Runden jede Masche rechts; in Hinreihen rechte Maschen, in Rückreihen linke Maschen stricken.

Achtung
Passen Sie die Anschlag-Maschen in der Tabelle (S. 9) und die Zu- und Abnahmen der Teilbarkeit der einzelnen Muster an.

Zeichenerklärung
□ = 1 Masche rechts
⊟ = 1 Masche links
[Symbol] = 2 Maschen auf einer Hilfsnadel vor die Arbeit legen, die folgenden 2 Maschen rechts, die Hilfsmadelmaschen rechts stricken.
[Symbol] = 2 Maschen auf einer Hilfsnadel hinter die Arbeit legen, die folgenden 2 Maschen rechts, die Hilfsnadelmaschen rechts stricken.
N = 1 Noppe: Aus 1 Masche 5 Maschen (1 Masche rechts, 1 Umschlag im Wechsel) herausstricken. Mit diesen 5 Maschen ca. 3 – 5 Reihen glatt rechts stricken und in folgender Hinreihe die Noppenmaschen rechts bzw. links verdreht zusammenstricken.

Arbeitsanleitung
Damensocken
Für die gewünschte Größe müssen Sie die Maschen nach der Tabelle auf Seite 9 in 1. Farbe anschlagen und auf 4 Nadeln verteilen. 20 Runden im Bündchenmuster A stricken, dabei in letzter Runde gleichmäßig verteilt 15 Maschen zunehmen. 2 Runden 1 Masche links, 4 Maschen rechts im Wechsel stricken und im Bündchenmuster B weiterarbeiten. Nach 15 cm im Bündchenmuster B die 15 Maschen wieder gleichmäßig abnehmen und 10 Runden im Bündchenmuster A stricken. Mit der Ferse beginnen. Ferse und Fuß stricken Sie glatt rechts, wie auf Seite 8/9 beschrieben.

Rechter Herrensocken
Für die gewünschte Größe müssen Sie die Maschen nach der Tabelle auf Seite 8/9 in 2. Farbe anschlagen und auf 4 Nadeln verteilen. 20 Runden im Bündchenmuster A stricken, dabei in letzter Runde gleichmäßig verteilt 13 Maschen zunehmen. Nach Strickschrift weiterstricken. Es sind nur die Hinreihen gezeichnet, in den Rückreihen die Maschen stricken, wie sie erscheinen. Das Muster einteilen: Mit den letzten 10 Maschen der 3. Nadel und den ersten 10 Maschen der 4. Nadel den Zopf stricken, und mit den restlichen Maschen den Rapport des Rippenmusters fortlaufend wiederholen. Die 1. – 10. Reihe stricken, fortlaufend wiederholen. Nach 16 cm im Zopf- und Rippenmuster in letzter Runde die 13 Maschen wieder gleichmäßig abnehmen. Danach 10 Runden im Bündchenmuster stricken. Mit der Ferse beginnen. Ferse und Fuß stricken Sie glatt rechts, wie auf Seite 8/9 beschrieben.

Linker Herrensocken
Gegengleich arbeiten.

Strickschrift

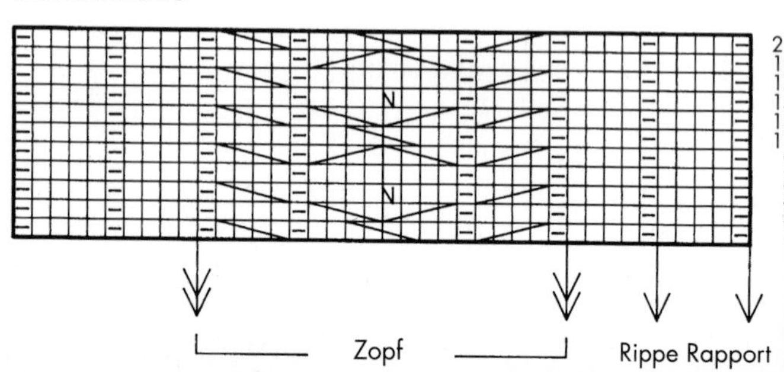

Damensocken mit Noppen

Größe 38/39

Material:

Lfd. Nr.	Qualität	Farbe	Verbrauch
1	Regia 4fädig	2175 gladiole color	150 g

Nadeln
Nadelspiel Nr. 2 – 3.

Bündchenmuster
1 Masche rechts, 1 Masche links im Wechsel stricken.

Glatt rechts
In Hinreihen rechts, in Rückreihen links, in Runden jede Runde rechts stricken.

Muster 1
In Runden nach Strickschrift arbeiten, dabei den Mustersatz zwischen den Doppelpfeilen fortlaufend wiederholen. Die 1. – 22. Runde fortlaufend wiederholen.

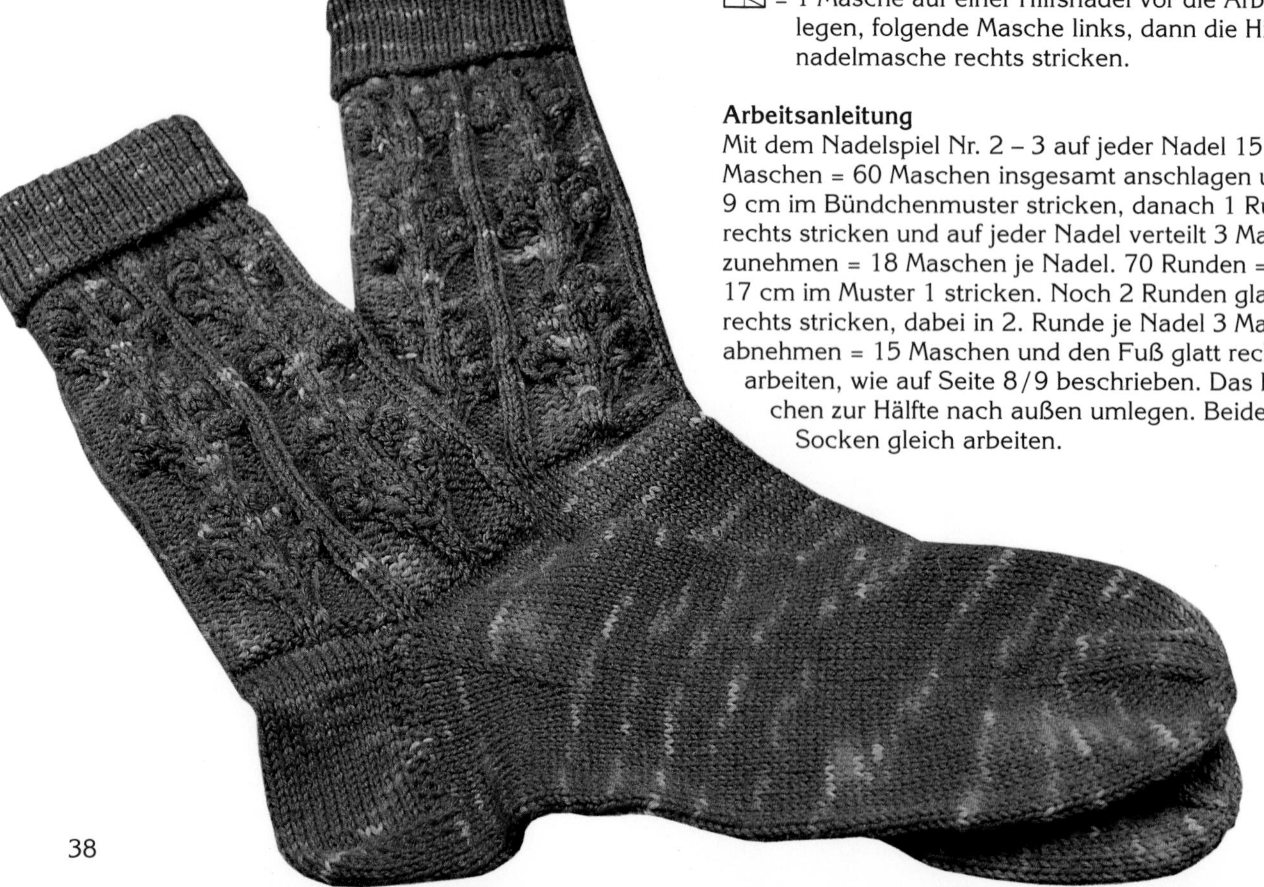

Strickschrift

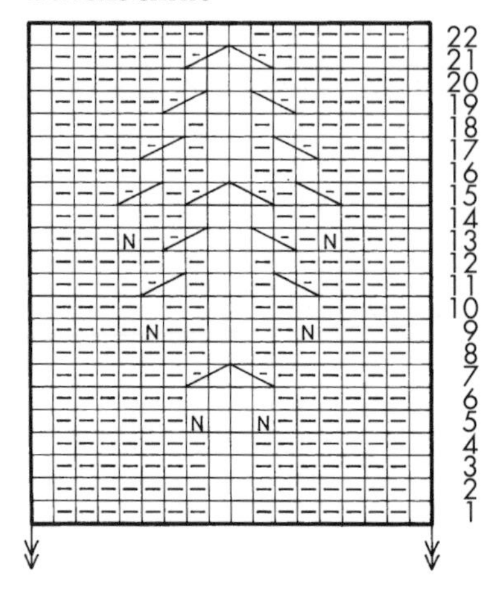

Zeichenerklärung

☐ = 1 rechte Masche

⊟ = 1 linke Masche

N = 1 Noppe = aus 1 Masche 4 Maschen (1 Masche rechts, 1 Masche rechts verdreht im Wechsel) herausstricken. Nur mit diesen Maschen 4 Reihen glatt rechts stricken und die 1. – 3. Noppenmasche über die 4. Masche ziehen

= 1 Masche auf einer Hilfsnadel hinter die Arbeit legen, folgende Masche rechts, dann die Hilfsnadelmasche links stricken.

= 1 Masche auf einer Hilfsnadel vor die Arbeit legen, folgende Masche links, dann die Hilfsnadelmasche rechts stricken.

Arbeitsanleitung
Mit dem Nadelspiel Nr. 2 – 3 auf jeder Nadel 15 Maschen = 60 Maschen insgesamt anschlagen und 9 cm im Bündchenmuster stricken, danach 1 Runde rechts stricken und auf jeder Nadel verteilt 3 Maschen zunehmen = 18 Maschen je Nadel. 70 Runden = ca. 17 cm im Muster 1 stricken. Noch 2 Runden glatt rechts stricken, dabei in 2. Runde je Nadel 3 Maschen abnehmen = 15 Maschen und den Fuß glatt rechts arbeiten, wie auf Seite 8/9 beschrieben. Das Bündchen zur Hälfte nach außen umlegen. Beide Socken gleich arbeiten.

Grüne Socken mit Norwegermuster

Größe 38/39

Material:

Lfd. Nr.	Qualität	Farbe	Verbrauch
1	Regia Tweed 4fädig	2955 smaragd	100 g
2	Regia 4fädig	2000 königsblau	50 g
3	Regia 4fädig	2002 kirsch	Rest

Strickschrift

								Runde
	•				•			37
•	•	•		•	•	•		36
	•				•			35
								34
								33
								32
			×				×	31
×		×	×	×		×	×	30
			×				×	29
•	•	•		•	•	•		28
	•				•			27
×		×	×	×		×	×	26
			×				×	25
×	×	×	×	×	×	×	×	24
×	×	×	×	×	×	×	×	23
								22
								21
								20
								19
•	•	•	•	•	•	•	•	18
•	•	•	•	•	•	•	•	17
×	×	×	•	×	×	×	•	16
•	×	•		•	×	•		15
	•				•			14
			×				×	13
								12
								11
	•				•			10
								9
								8
			×				×	7
	•				•			6
•	×	•		•	×	•		5
×	×	×	•	×	×	×	•	4
•	•	•	•	•	•	•	•	3
•	•	•	•	•	•	•	•	2
								1

Zählmuster
Zeichenerklärung
□ = 1 Masche in 1. Farbe
• = 1 Masche in 2. Farbe
× = 1 Masche in 3. Farbe

Nadeln
Nadelspiel Nr. 2 – 3.

Bündchenmuster
1 Masche rechts, 1 Masche links im Wechsel stricken.

Grundmuster
Glatt rechts = in Hinreihen rechts, in Rückreihen links, bzw. in Runden jede Runde rechts in Uni oder Norwegertechnik nach Zählmuster stricken. Beim Zählmuster 1 x die 1. – 37. Runde stricken.

Arbeitsanleitung
Mit dem Nadelspiel Nr. 2 – 3 auf 4 Nadeln verteilt mit 1 Farbe 60 Maschen = je Nadel 15 Maschen anschlagen und 2,5 cm im Bündchenmuster stricken. Glatt rechts 37 Runden nach Zählmuster, dann in 1. Farbe weiterstricken. Nach insgesamt 16 cm Schafthöhe den Fuß glatt rechts in 1. Farbe arbeiten, wie auf Seite 8/9 beschrieben. Beide Socken gleich arbeiten.

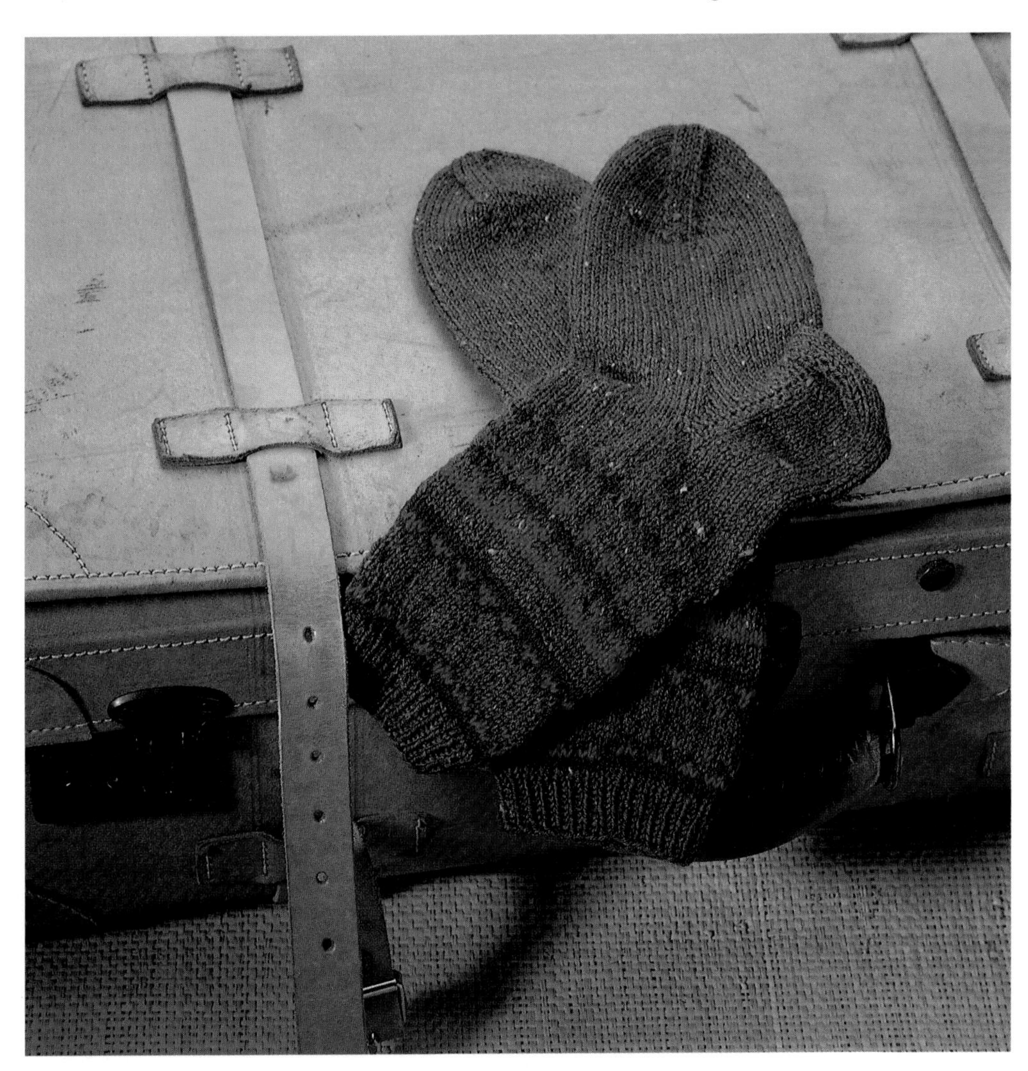

Country-Look

Socken mit Norwegermuster

Größe 39/40 und 42/43

Material:

Lfd. Nr.	Qualität	Farbe	Verbrauch
1	Regia 4fädig	2140 borke mel.	100 g
2	Regia 4fädig	2143 leinen mel.	50 g

Die Angaben für Größe 39/40 stehen vor dem Schrägstrich, für Größe 42/43 danach.

Nadeln
Nadelspiel Nr. 2 – 3.

Bündchenmuster
1 Masche rechts, 1 Masche links im Wechsel stricken.

Grundmuster
Glatt rechts = Hinreihen rechts, Rückreihen links in Uni oder Norwegertechnik nach Zählmuster stricken.

Arbeitsanleitung
64/68 Maschen = je Nadel 16/17 Maschen mit dem Nadelspiel Nr. 2 – 3 und 1. Farbe anschlagen und 3 cm im Bündchenmuster stricken. Danach 1 Runde rechts. Dann im Norwegermuster weiterstricken. Bei Größe 38/40 auf 1. Nadel von Pfeil A bis Pfeil C, mit den folgenden 27 Maschen den Mustersatz zwischen Pfeil C und Pfeil D fortlaufend wiederholen, mit den restlichen 35 Maschen bis Pfeil A stricken. Bei Größe 42/43 auf 1. Nadel von Pfeil B bis Pfeil C, mit den folgenden 31 Maschen den Mustersatz zwischen Pfeil C und Pfeil D fortlaufend wiederholen, mit den restlichen 36 Maschen bis Pfeil B stricken. In der Höhe die 1. bis 22. Runde fortlaufend wiederholen. Nach ca. 15 – 17 cm Schafthöhe 2 Runden rechts in 1. Farbe stricken, dabei in letzter Runde je Nadel 1 Masche abnehmen = 15/16 Maschen und den Fuß glatt rechts in 1. Farbe arbeiten, wie auf Seite 8/9 beschrieben. 2. Socken gegengleich arbeiten.

Zählmuster
Zeichenerklärung
□ = 1 Masche in 1. Farbe
■ = 1 Masche in 2. Farbe

Größe 38/39 und Größe 42/43

Material:

Lfd. Nr.	Qualität	Farbe	Verbrauch
1	Regia 4fädig	522 anthrazit mel.	100 g
2	Regia 4fädig	600 weiß	50 g

Die Angaben für Größe 38/39 stehen vor dem Schrägstrich, für Größe 42/43 danach.

Nadeln
Nadelspiel Nr. 2 – 3.

Bündchenmuster
1 Masche rechts, 1 Masche links im Wechsel stricken.

Grundmuster
Glatt rechts = Hinreihen rechts, Rückreihen links, in Runden jede Runde rechts in Uni oder Norwegertechnik nach Zählmuster stricken. Bei Größe 38/39 den Mustersatz zwischen Doppelpfeil B und C fortlaufend wiederholen und 3 x die 1. – 13. Runde = 39 Runden stricken. Bei Größe 42/43 den Mustersatz zwischen Doppelpfeil A und C fortlaufend wiederholen und 3 x die 1. – 14. Runde = 42 Runden stricken.

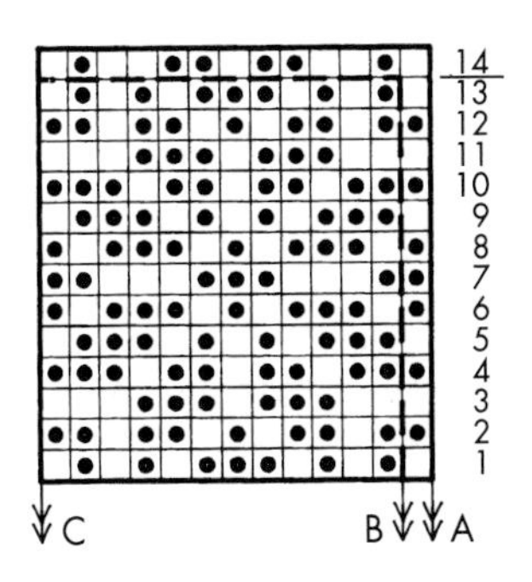

Zählmuster
Zeichenerklärung
□ = 1 Masche in 1. Farbe = anthrazit meliert
● = 1 Masche in 2. Farbe = weiß

Arbeitsanleitung
Mit dem Nadelspiel Nr. 2 – 3 und 1. Farbe auf 4 Nadeln verteilt 60/64 Maschen anschlagen und 3 cm im Bündchenmuster stricken. Danach 1 Runde rechte Maschen in 1. Farbe stricken und dabei verteilt 5/6 Maschen zunehmen = 65/70 Maschen. Im Grundmuster nach Zählmuster 39/42 Runden und 2 Runden glatt rechts in 1. Farbe stricken, dabei in 2. Rechts-Runde verteilt 5/6 Maschen wieder abnehmen = 60/64 Maschen = 15/16 Maschen je Nadel.
Den Fuß glatt rechts in 1. Farbe arbeiten, wie auf Seite 8/9 beschrieben.

Herren-Trachtenstrümpfe für Bundhosen

Größe 42/43

Material:

Lfd. Nr.	Qualität	Farbe	Verbrauch
1	Regia 4fädig Tweed	2953 stein	ca. 200 g

Nadeln
Nadelspiel Nr. 2 – 3.

Maschenprobe
36 Maschen und 40 Runden = 10 x 10 cm. Bei abweichender Maschenprobe entsprechend dickere oder dünnere Nadeln verwenden.

Strickmuster

Bündchenmuster
1 Masche rechts, 1 Masche links im Wechsel stricken.

Glatt rechts
In offener Arbeit die Hinreihen rechts, die Rückreihen links stricken, in Runden jede Runde rechts stricken.

Grundmuster
In den ungeraden Runden nach Strickschrift arbeiten, dabei die Runde bei Pfeil A beginnen und bei Pfeil B enden. In den geraden Runden die Maschen stricken, wie sie erscheinen.
Die 1. – 8. Runde fortlaufend wiederholen.

Arbeitsanleitung
94 Maschen anschlagen und ca. 10 cm im Bündchenmuster stricken, dann im Grundmuster nach Strickschrift weiterarbeiten, dabei in 1. Runde 1 Masche zunehmen = 95 Maschen und jede Runde von Pfeil A bis Pfeil B stricken. Nach 17 bis 19 cm = ca. 68 bis 76 Runden ab Bündchenmuster (je nach Beinlänge) für das Wadenabnehmen die 5. Masche der 1. Nadel bezeichnen und mit der Masche davor links zusammenstricken und bei der 4. Nadel die 4. Masche vor Runden-Ende bezeichnen und mit der Masche danach links zusammenstricken. Dieses Abnehmen mit den bezeichneten Maschen noch 2 x in jeder 8. folgenden Runde wiederholen, dann die 1. Masche der 1. Nadel bezeichnen und als rückwärtige Mittel-Masche links weiterstricken. Die Mittel-Masche in 6. folgender Runde mit der Masche davor und danach links zusammenstricken. Dieses Abnehmen noch 2 x in jeder 6. folgenden Runde und 7 x in jeder 4. folgenden Runde wiederholen = je 13 abgenommene Maschen auf 1. und 4. Nadel. Die restlichen Maschen so verteilen, daß auf 1. Nadel die rückwärtige Mittel-Masche und 17 Maschen von Pfeil a bis b, auf 2. Nadel 17 Maschen von Pfeil b bis c, auf 3. Nadel 17 Maschen von Pfeil c bis d, auf 4. Nadel 17 Maschen von Pfeil d bis e sind. Nach ca. 38 bis 40 cm = 152 bis 160 Runden ab Bündchenmuster die rückwärtige Mittel-Masche abnehmen und mit den 34 Maschen der 1. und 4. Nadel die Ferse stricken. Ferse und Fuß arbeiten, wie auf Seite 8/9 angegeben. Das Muster läuft in den Nadeln 2 und 3 auf der Oberseite des Fußes weiter. Beide Strümpfe gleich arbeiten.

Zeichenerklärung
☐ = 1 linke Masche
[I] = 1 rechte Masche
☒ = 1 rechts verdrehte Masche
= 1 Masche auf Hilfsnadel **hinter** die Arbeit legen, folgende Masche rechts, dann die Hilfsnadel-Masche rechts stricken.
= 1 Masche auf Hilfsnadel **vor** die Arbeit legen, folgende Masche rechts, dann die Hilfsnadel-Masche rechts stricken.
= 2 Maschen auf Hilfsnadel **hinter** die Arbeit legen, folgende 2 Maschen rechts, dann die Hilfsnadel-Masche rechts stricken.
= 2 Maschen auf Hilfsnadel **vor** die Arbeit legen, folgende 2 Maschen rechts, dann die Hilfsnadel-Masche rechts stricken.
= 3 Maschen auf Hilfsnadel **vor** die Arbeit legen, folgende 3 Maschen rechts, dann die Hilfsnadel-Masche rechts stricken.
= 3 Maschen auf Hilfsnadel **hinter** die Arbeit legen, folgende 3 Maschen rechts, dann die Hilfsnadel-Masche rechts stricken.

Strickschrift

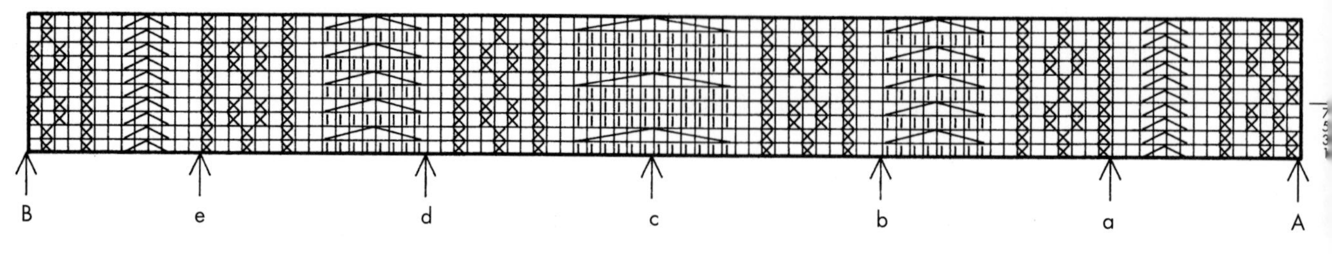

MUSIKVEREIN
AYSTETTEN

Damen-Trachtenstrümpfe

Größe 38/39

Material:
Schachenmayr Regia 4fädig
75% Schurwolle
25% Polyamid

Lfd. Nr.	Qualität	Farbe	Verbrauch
1	Regia 4fädig	600 weiß	200 g

Accessoires
evtl. ca. 45 cm Gummilitze

Nadeln
Nadelspiel Nr. 2 – 3.

Maschenprobe
Mit Nadeln Nr. 2 1/2 bei Glatt rechts und den Mustern dieses Modells 34 Maschen und 42 Reihen/Runden = 10 x 10 cm. Bei abweichender Maschenprobe entsprechend dickere oder dünnere Nadeln verwenden.

Strickmuster

Bündchenmuster
Eine Masche rechts, eine Masche links im Wechsel stricken.

Glatt rechts
Die Maschen in den Hinreihen rechts, in den Rückreihen links und in den Runden stets rechts stricken.

Grundmuster
In den ungeraden Runden nach Strickschrift arbeiten, in den geraden Runden die Maschen stricken, wie sie erscheinen, die Umschläge rechts stricken. Bei Pfeil A = rückwärtige Mitte beginnen,
5 x den Mustersatz von Pfeil B bis Pfeil C arbeiten, dann 1 x von Pfeil D bis Pfeil A stricken = 89 Maschen.

Bei den kleinen Zöpfchen die 1. und 2. Runde, bei den Lochmusterstreifen die 1. – 4. Runde, bei den größeren Zöpfen die 1. – 6. Runde fortlaufend wiederholen.

Arbeitsanleitung
90 Maschen mit Nadeln Nr. 2 oder 2 1/2 anschlagen und im Bündchenmuster 10 cm stricken, wenn die Strümpfe zu Bundhosen getragen werden sollen, oder nur ca. 5 cm stricken, wenn es Kniestrümpfe werden

sollen. Bei Kniestrümpfen nach 5 cm ab Anschlag jeweils 1 Anschlag-Masche hinter der Arbeit auffassen und auf die linke Arbeitsnadel legen, dann diese aufgefaßte Masche mit der dazugehörenden Masche auf der linken Nadel dem Muster entsprechend zusammenstricken. Im Grundmuster mit Nadeln Nr. 2 1/2 oder 3 nach Strickschrift weiterarbeiten, dabei in 47. Runde bei den Zöpfchen in rückwärtiger Mitte jeweils 2 rechte Maschen zusammenstricken und jedes Zöpfchen mit 2 Maschen weiterstricken = 87 Maschen. In 75. – 89. Runde beiderseits der rückwärtigen Mittel-Masche nach Strickschrift je 8 Maschen abnehmen und mit 71 Maschen weiterstricken. Nach ca. 36 cm = 150 Runden ab Bündchenmuster die Maschen von der rückwärtigen Mitte aus wie folgt auf die Nadeln verteilen: 1. Nadel 18 Maschen, 2. Nadel 18 Maschen, 3. Nadel 18 Maschen, 4. Nadel 17 Maschen. In vorderer Mitte wird ein Zopf gearbeitet. Die Maschen von 2. und 3. Nadel stillegen und mit den Maschen der 1. und 4. Nadel = 35 Maschen die Ferse stricken. Ferse und Fuß arbeiten wie auf Seite 8/9 angegeben.

Zeichenerklärung

□ = Leere Kästchen haben keine Bedeutung und werden beim Stricken einfach übergangen.
[I] = 1 rechte Masche
[–] = 1 linke Masche
[◿] = 2 Maschen rechts zusammenstricken.
[U] = 1 Umschlag
[◺] = 1 Masche abheben, folgende Masche rechts stricken und die abgehobene Masche darüberziehen.
[Symbol] = 2 Maschen auf Hilfsnadel **hinter** die Arbeit legen, folgende Masche rechts stricken, dann die Hilfsnadel-Maschen rechts stricken.
[Symbol] = 1 Masche auf Hilfsnadel **vor** die Arbeit legen, folgende 2 Maschen rechts stricken, dann die Masche von der Hilfsnadel rechts stricken.
[Symbol] oder [Symbol] = 2 Maschen links zusammenstricken.
[Symbol] = 3 Maschen auf Hilfsnadel **vor** die Arbeit legen, folgende 3 Maschen rechts stricken, dann die Hilfsnadel-Maschen rechts stricken.
MS = Mustersatz

Strickschrift

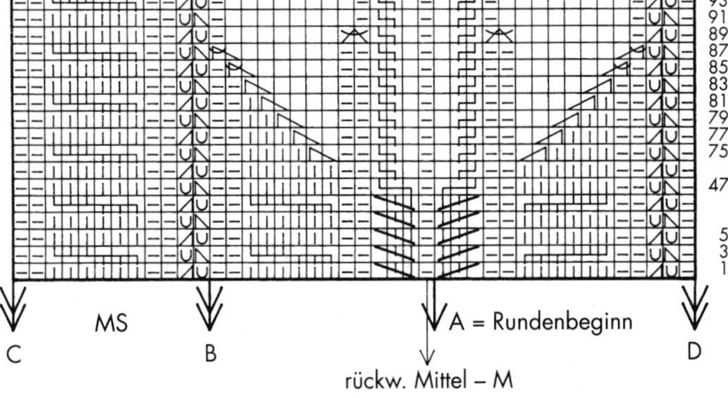

Knie- oder Bundhosenstrümpfe für Damen und Herren

Größe 38/39 und 41/42

Material:

Lfd. Nr.	Qualität	Farbe	Verbrauch
1	Regia 4fädig	1991 hellgrau mel.	150 – 200 g

Accessoires
ca. 45 – 50 cm Gummilitze für die Kniestrümpfe

Nadeln
Nadelspiel Nr. 2 – 3.

Strickmuster

Bündchenmuster = A
1 (2) Maschen rechts, 1 (2) Maschen links im Wechsel stricken.

Muster B
Glatt rechts = in den Hinreihen rechts, in den Rückreihen links oder in Runden stets rechts stricken.

Muster C, D und E
Nach Strickschrift arbeiten. Bei Muster C die 1. – 4. Reihe/Runde, bei Muster D die 1. und 2. Reihe/Runde, bei Muster E die 1. und 2., die 1. – 8. und die 1. – 12. Reihe/Runde fortlaufend wiederholen, siehe stärkere Begrenzungslinien in der Strickschrift. Einteilung siehe Arbeitsanleitung.

Arbeitsanleitung
Für Größe 41 – 42 gelten die Angaben in Klammern. Bei nur einer Angabe gilt diese für alle genannten Größen.

84 (88) Maschen mit Nadeln Nr. 2 oder Nr. 2 1/2 anschlagen und im Bündchenmuster für Bundhosenstrümpfe ca. 10 – 12 cm stricken, für die Kniestrümpfe nur 5 cm stricken und für den doppelten Rand in folgender Runde jeweils 1 Anschlagmasche auffassen und vor die dazugehörende Masche auf die linke Arbeitsnadel legen, dann beide Maschen dem Muster entsprechend zusammenstricken. Dies bis 2 Maschen vor Rundenende wiederholen. Die letzten 2 Maschen nicht zusammenstricken, damit eine Öffnung für den

Zeichenerklärung
□ = 1 linke Masche
⊠ = 1 rechts verdrehte Masche
= 1 Masche auf Hilfsnadel **hinter** die Arbeit legen, 1 Masche rechts, dann die Hilfsnadel-Masche rechts stricken.
= 1 Masche auf Hilfsnadel **vor** die Arbeit legen, 1 Masche rechts, dann die Hilfsnadel-Masche rechts stricken.
= 2 Maschen auf Hilfsnadel **hinter** die Arbeit legen, folgende 2 Maschen rechts, dann die 2 Maschen von der Hilfsnadel rechts stricken.
= 2 Maschen auf Hilfsnadel **vor** die Arbeit legen, folgende 2 Maschen rechts, dann die 2 Maschen von der Hilfsnadel rechts stricken.
= 1 Masche auf Hilfsnadel **vor** die Arbeit legen, folgende Masche auf Hilfsnadel **hinter** die Arbeit legen, die folgende Masche rechts verdreht stricken, dann die Masche vor der hinteren Hilfsnadel rechts verdreht abstricken und zum Schluß die Masche von vorderer Hilfsnadel rechts verdreht abstricken.

Strickschrift

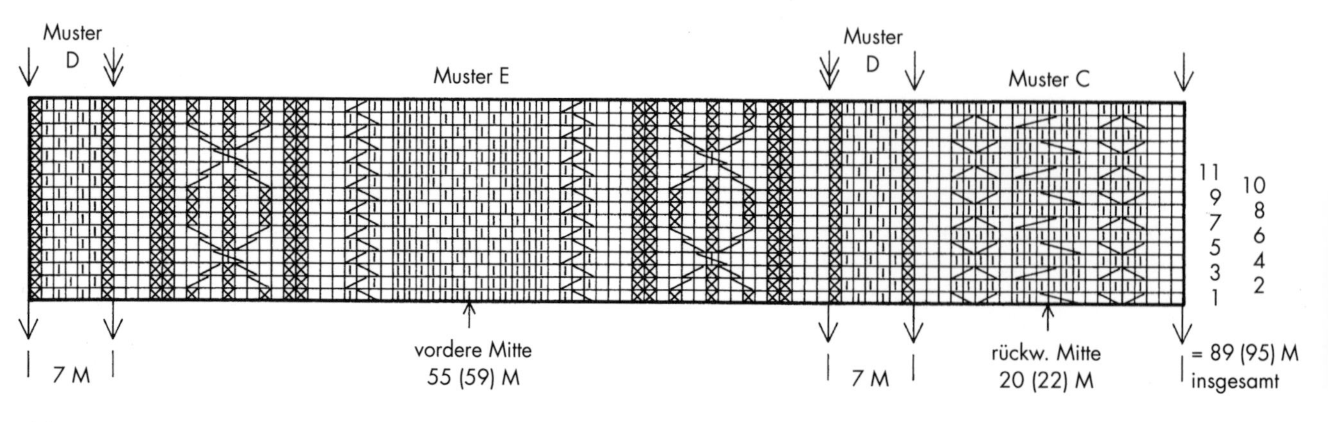

Gummilitzendurchzug bleibt. Mit Nadeln Nr. 2 1/2 oder Nr. 3 im Muster C, D und E nach Strickschrift weiterarbeiten, dabei in 1. Runde verteilt 5 (7) Maschen zunehmen = 89 (95) Maschen. In den folgenden Runden jeweils von Pfeil A bis Pfeil B stricken, dabei für die Damenstrümpfe überall da, wo 3 linke Maschen gezeichnet sind, nur 2 linke Maschen stricken. Nach ca. 10 (11) cm ab Bündchenmuster das Wadenabnehmen beginnen. Nach dem 20 (22) Maschen breiten Muster-C-Streifen in rückwärtiger Mitte die 1. und 2. Masche des Musters D rechts verdreht zusammenstricken und vor dem 20 (22) Maschen breiten Muster-C-Streifen die vorletzte und letzte Masche des Muster-D-Streifens rechts zusammenstricken. Dieses Abnehmen in jeder 2. (4.) folgenden Runde wiederholen, bis nur noch je 1 rechte Masche vom Muster D übrig ist. Diese Masche in 3. (4.) folgender Runde mit 1 Masche davor bzw. danach links zusammenstricken, dann noch 2 (3) x in jeder 3. (4.) folgenden Runde zwischen Muster C und Muster E jeweils 2 linke Maschen links zusammenstricken, so daß noch 71 (75) Maschen auf den Nadeln sind. In den vorgegebenen Mustern ohne die Muster-D-Streifen weiterstricken. Nach 29 (31) cm ab Bündchenmuster mit allen Maschen glatt rechts weiterstricken, dabei in 1. Runde verteilt 3 Maschen abnehmen = 68 (72) Maschen und die Maschen von rückwärtiger Mitte aus so verteilen, daß auf jeder Nadel 17 (18) Maschen sind. Ferse und Fuß arbeiten wie auf Seite 8/9 angegeben. Beide Strümpfe gleich arbeiten.

Trachtenstrümpfe

Größe 38/39

Material:

Lfd. Nr.	Qualität	Farbe	Verbrauch
1	Regia 4fädig	1988 lavendel	200 g

Nadeln
1 Nadelspiel Nr. 2 – 3.

Maschenprobe
Mit Nadeln Nr. 2 – 3 im Grundmuster 40 Maschen und 43 Runden = 10 x 10 cm. Bei abweichender Maschenprobe entsprechend dickere oder dünnere Nadeln verwenden.

Strickmuster

Bündchenmuster
1 Masche rechts, 1 Masche links im Wechsel stricken.

Glatt rechts
In Hinreihen rechts, in Rückreihen links, in Runden jede Runde rechts stricken.

Grundmuster
In Runden nach Strickschrift stricken. Die 1. – 20. Runde fortlaufend wiederholen.

Arbeitsanleitung
Für das Bündchen mit dem Nadelspiel Nr. 2 – 3 auf jeder Nadel 24 = 96 Maschen insgesamt anschlagen und 10 cm im Bündchenmuster stricken.

Im Grundmuster nach Strickschrift 1 x von Pfeil A bis Pfeil E, 1 x von Pfeil C bis Pfeil D und 1 x von Pfeil B bis Pfeil C weiterstricken.

Für das Wadenabnehmen nach 64 Runden = ca. 15 cm ab Bündchen auf 1. Nadel die letzte Masche des großen Perlmusters mit der folgenden rechten Masche rechts zusammenstricken und auf 4. Nadel die rechte Masche vor dem großen Perlmuster links abheben, folgende Masche rechts und die abgehobene Masche darüberziehen. Dieses Abnehmen noch 5 x wiederholen = auf 1. und 4. Nadel je 18 Maschen. In 4. folgender Reihe auf der ersten Nadel die letzte Perlmustermasche mit folgender rechter Masche rechts zusammenstricken und in 4. folgender Runde die letzte rechte Masche der 4. Nadel abheben, die erste rechte Masche der 1. Nadel rechts stricken und die abgehobene Masche darüberziehen = je 17 Maschen auf 1. und 4. Nadel und je 24 Maschen auf 2. und 3. Nadel = insgesamt 82 Maschen. In gegebener Einteilung weiterstricken und nach insgesamt 150 Reihen = 35 cm ab Bündchen die Maschen wie folgt verteilen: Auf die 2. Nadel die 11 Maschen vor der vorderen Mitte und folgende 5 Maschen = 16 Maschen, auf die 3. Nadel

die folgenden 6 Maschen und die 11 Maschen nach der vorderen Mitte = 17 Maschen nehmen; mit den restlichen 49 Maschen die Ferse in Reihen glatt rechts arbeiten, wie auf Seite 8 beschrieben, dabei in 1. Reihe verteilt 17 Maschen abnehmen = 32 Maschen. Das Käppchen und Auffassen der Fersenmaschen ebenfalls nach Anleitung auf Seite 8/9 arbeiten. Danach mit den Maschen der 1. und 4. Nadel glatt rechts weiterstricken, dabei die Spickelabnahmen arbeiten (S. 9); mit den Maschen der 2. und 3. Nadel im Grundmuster in gegebener Einteilung weiterstricken. Nach ca. 16 cm ab Fersenende die Bandabnahme für die Spitze glatt rechts arbeiten, wie auf Seite 9 beschrieben, dabei auf der 3. Nadel 1 Masche abnehmen = 16 Maschen je Nadel. Das Bündchen zur Hälfte nach außen umlegen. Beide Strümpfe gleich arbeiten.

Zeichenerklärung

☐ = 1 rechte Masche

⊟ = 1 linke Masche

[Symbol] = 1 Masche auf einer Hilfsnadel vor die Arbeit legen, folgende Masche rechts, dann die Hilfsnadelmasche rechts stricken.

[Symbol] = 1 Masche auf einer Hilfsnadel vor die Arbeit legen, folgende Masche links, dann die Hilfsnadelmasche rechts stricken.

[Symbol] = 1 Masche auf einer Hilfsnadel hinter die Arbeit legen, folgende Masche rechts, dann die Hilfsnadelmasche links stricken.

[Symbol] = 1 Masche auf der ersten Hilfsnadel hinter die Arbeit legen, folgende Masche auf der zweiten Hilfsnadel vor die Arbeit legen, folgende Masche links, die Masche der zweiten Hilfsnadel rechts, dann die Masche der ersten Hilfsnadel links stricken.

[Symbol] = 1 Masche auf der ersten Hilfsnadel vor die Arbeit legen, folgende 2 Maschen auf der zweiten Hilfsnadel hinter die Arbeit legen, folgende Masche rechts, die Maschen der zweiten Hilfsnadel links und die Masche der ersten Hilfsnadel rechts stricken.

[Symbol] = 2 Maschen auf einer Hilfsnadel vor die Arbeit legen, folgende 2 Maschen rechts, dann die 2 Hilfsnadelmaschen rechts stricken.

[Symbol] = 2 Maschen auf einer Hilfsnadel hinter die Arbeit legen, folgende 2 Maschen rechts, dann die 2 Hilfsnadelmaschen rechts stricken.

Strickschrift

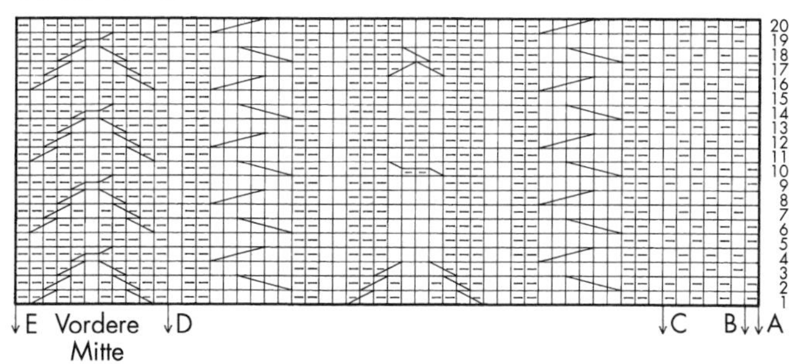

Ganz sportlich

Sportsocken für Damen

(Abb. S. 50 links) Größe 38/39

Material:

Lfd. Nr.	Qualität	Farbe	Verbrauch
1	Regia 4fädig	600 weiß	100 g
2	Regia 4fädig	2059 minze	50 g
3	Regia 4fädig	1988 lavendel	Rest

Nadeln
1 Paar Schnellstricknadeln Nr. 2 – 3,
Nadelspiel Nr. 2 – 3.

Bündchenmuster = A
1 Masche rechts, 1 Masche links im Wechsel stricken.

Muster B
Glatt rechts = in Hinreihen rechts, in Rückreihen links oder in Runden rechts in Uni, nach Strickschema oder Farbfolge stricken.

Farbfolge
2 Runden in 3. Farbe, ✻ 8 Runden in 1. Farbe, 2 Runden in 2. Farbe, ab ✻ wiederholen bis zum Schluß.

Arbeitsanleitung
In 1. Farbe 62 Maschen anschlagen und in offener Arbeit 3 cm im Bündchenmuster = A stricken, dann im Muster B nach Strickschema weiterarbeiten, dabei in letzter Reihe = 45. Reihe die 1. und letzte Masche abketten. Nun die Maschen auf das Nadelspiel nehmen und mit 1. Farbe in Runden glatt rechts weiterstricken. Nach 4 Runden die Ferse und das dreiteilige Käppchen und anschließend das Spickelabnehmen, wie auf Seite 9 beschrieben, arbeiten. Nach ca. 15 cm ab Ferse nach Farbfolge weiterarbeiten und in 4. Runde der Farbfolge mit dem bandförmigen Schlußabnehmen beginnen. Gesamtfußlänge ca. 26 cm. Rückwärtige Naht schließen. Beide Socken gleich arbeiten.

Strickschema für den Schaft

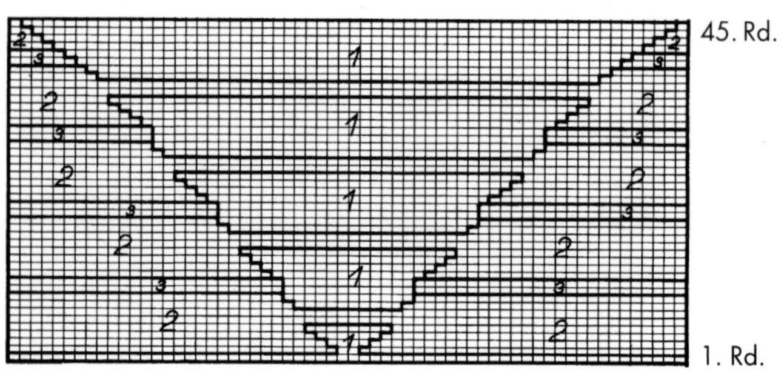

Erklärungen zum Strickschema
Im Strickschema bedeutet ein Kästchen 1 Masche und 1 Reihe. Die Randmaschen sind eingezeichnet. Jede Farbfläche wird mit einem separaten Knäuel gearbeitet. Beim Farbwechsel innerhalb der Reihe werden die Fäden auf der Arbeitsrückseite verkreuzt, damit keine Löcher entstehen. Die Zahlen im Strickschema geben die Farbe an und entsprechen der laufenden Numerierung in der Materialangabe.

Sportsocken für Damen

(Abb. S. 50 rechts) Größe 36/37

Material:

Lfd. Nr.	Qualität	Farbe	Verbrauch
1	Regia 4fädig	600 weiß	50 g
2	Regia 4fädig	2059 minze	50 g
3	Regia 4fädig	1988 lavendel	Rest
4	Regia 4fädig	2041 gelb	Rest

Nadeln
Nadelspiel Nr. 2 – 3.

Bündchenmuster = A
1 Masche rechts, 1 Masche links im Wechsel stricken.

Farbfolge
2 Runden in 3. Farbe, 3 Runden in 4. Farbe, dann bis zur Ferse ca. 15 cm in 2. Farbe stricken.

Muster B
Glatt rechts = Hinreihe rechts, Rückreihe links oder in Runden jede Runde rechts stricken.

Arbeitsanleitung
58 Maschen mit 3. Farbe anschlagen und im Bündchenmuster nach Farbfolge stricken, dann glatt rechts die Ferse mit dem dreiteiligen Käppchen wie auf Seite 8 beschrieben, und zwar 5 Reihen in 4. Farbe, 2 Reihen in 2. Farbe, 4 Reihen in 4. Farbe, 2 Reihen in 3. Farbe, dann bis Fersenende in 4. Farbe stricken. Anschließend mit 1. Farbe glatt rechts in Runden weiterarbeiten, dabei das Spickelabnehmen, wie auf Seite 9 beschrieben, arbeiten und nach ca. 13 cm ab Ferse mit 4 Runden in 3. Farbe, 2 Runden in 4. Farbe, dann mit 3. Farbe bis zum Schluß weiterstricken. In der 1. Runde nach dem Streifen der 4. Farbe das bandförmige Schlußabnehmen beginnen. Gesamte Fußlänge 24,5 cm. Zweiten Socken ebenso arbeiten.

Sportsocken für Herren

(Abb. S. 51 links) Größe 46/47

Material:

Lfd. Nr.	Qualität	Farbe	Verbrauch
1	Regia 4fädig	2059 minze	100 g
2	Regia 4fädig	1988 lavendel	Rest
3	Regia 4fädig	600 weiß	Rest
4	Regia 4fädig	2041 gelb	Rest
5	Regia 4fädig	2054 hochrot	Rest

Nadeln
1 Paar Schnellstricknadeln Nr. 2 – 3,
Nadelspiel Nr. 2 – 3.

Bündchenmuster = A
In 1. Farbe 1 Masche rechts, 1 Masche links im Wechsel stricken.

Muster B
Glatt rechts = in Hinreihen rechts, in Rückreihen links oder in Runden jede Runde rechts stricken. In Uni oder mit mehreren Farben nach Zählmuster stricken, dabei für jeden Schaft in den Hinreihen 2 x von Pfeil A bis Pfeil B, in den Rückreihen von Pfeil B bis Pfeil A arbeiten. Jeweils 1 x die 1. – 59. Reihe stricken und jede Reihe mit einer Randmasche beginnen und enden.

Zählmuster

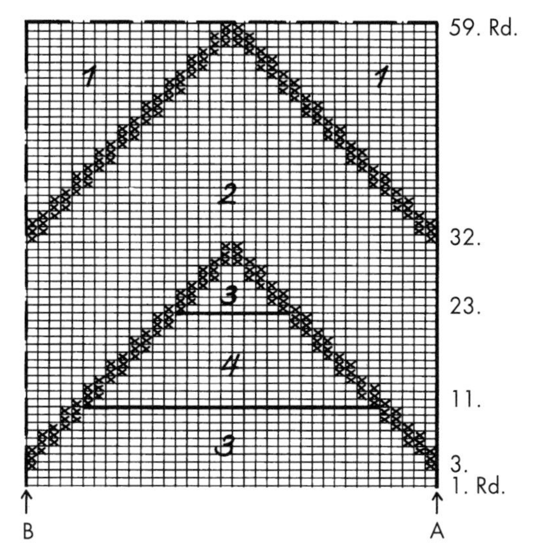

Zeichenerklärung
☐ = 1 glatt rechte Masche in angegebener Farbe
☒ = 1 glatt rechte Masche in 5. Farbe

Arbeitsanleitung
Mit den Schnellstricknadeln in 1. Farbe 74 Maschen anschlagen und 18 Reihen = ca. 4 cm im Bündchenmuster A stricken, dann 1 Rückreihe in 1. Farbe links stricken und anschließend 59 Reihen nach Zählmuster stricken, dabei für jedes Farbfeld einen separaten Knäuel verwenden und beim Farbwechsel die Fäden auf der Arbeitsrückseite stets verkreuzen. Nach der letzten Zählmuster-Reihe die Maschen auf das Nadelspiel nehmen und mit 1. Farbe glatt rechts in Runden weiterstricken, dabei in 1. Runde die beiden Randmaschen mit der Masche danach bzw. davor zusammenstricken = 72 Maschen. Nach 6 Runden ab Zählmuster die Ferse mit dem dreiteiligen Käppchen in 3. Farbe wie auf Seite 8 beschrieben arbeiten, dann in 1. Farbe glatt rechts in Runden weiterstricken. Das Spickelabnehmen wie beschrieben (S. 9) arbeiten und nach ca. 18 cm ab Ferse das bandförmige Schlußabnehmen arbeiten. Anschließend die seitlichen Schaftränder zusammennähen. Beide Socken gleich arbeiten.

Sportsocken für Herren

(Abb. S. 51 rechts) Größe 42/43

Material:

Lfd. Nr.	Qualität	Farbe	Verbrauch
1	Regia 4fädig	600 weiß	100 g
2	Regia 4fädig	2051 smaragd	Rest
3	Regia 4fädig	2054 hochrot	Rest
4	Regia 4fädig	2041 gelb	Rest
5	Regia 4fädig	1988 lavendel	Rest
6	Regia 4fädig	2059 minze	Rest

Nadeln
Nadelspiel Nr. 2 – 3.

Bündchenmuster = A
1 Masche rechts, 1 Masche links im Wechsel stricken.

Muster B
Glatt rechts = Hinreihe rechts, Rückreihe links oder in Runden jede Runde rechts stricken.

Arbeitsanleitung
Mit 1. Farbe 64 Maschen anschlagen und 3 cm im Bündchenmuster A stricken, dann glatt rechts weiterarbeiten. Nach ca. 15 cm ab Bündchenmuster die Ferse mit dem dreiteiligen Käppchen und anschließend das Spickelabnahmen arbeiten, wie auf Seite 9 beschrieben. Nach ca. 17 cm ab Ferse mit dem bandförmigen Schlußabnehmen beginnen. Gesamte Fußlänge ca. 28 cm. Beide Socken gleich arbeiten. Den linken Socken nach Stickskizze besticken, dabei 3 Maschen neben der vorderen Mitte und 4 Runden unterhalb vom Bündchenmuster beginnen. Den Pfeil bis in die Mitte des Füßlings weiterstricken. Rechten Socken ebenso an der Außenseite besticken, dabei 3 Maschen von rückwärtiger Mitte aus beginnen und den Pfeil gegengleich sticken.

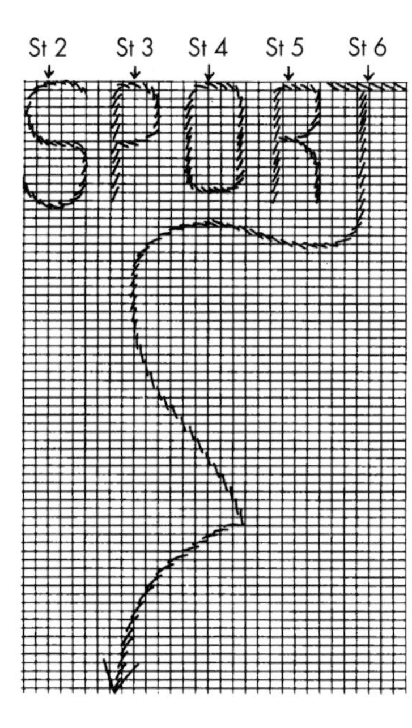

St 2 = Stielstiche in 2. Farbe
St 3 = Stielstiche in 3. Farbe
St 4 = Stielstiche in 4. Farbe
St 5 = Stielstiche in 5. Farbe
St 6 = Stielstiche in 6. Farbe

Sporty Socks

Größe 30/31

Material:
Schachenmayr Regia 4fädig
ca. 50 g für Größe 22 – 30
ca. 100 g für Größe 30 – 39
ca. 150 g für Größe 40 – 47
Farbe nach Belieben

Nadeln
Nadelspiele Nr. 2 1/2 oder 3 **und** 3 1/2 oder 4.

Maschenprobe
Mit Nadeln Nr. 2 1/2 oder Nr. 3 bei glatt rechts 30 Maschen und 42 Reihen/Runden = 10 x 10 cm. Bei abweichender Maschenprobe entsprechend dickere oder dünnere Nadeln verwenden.

Bündchenmuster
Gerade Maschenzahl
1 Masche rechts, 1 Masche links im Wechsel stricken.

Grundmuster
Glatt rechts = in Runden jede Masche rechts; in Hinreihen die Maschen rechts, in Rückreihen die Maschen links stricken.

Arbeitsanleitung
Für die gewünschte Größe nach Tabelle die Maschen locker anschlagen und den Schaft stricken: Mit Nadeln Nr. 2 1/2 oder 3 ein Viertel der Schafthöhe im Bündchenmuster stricken, dann mit Nadeln Nr. 3 1/2 oder 4 glatt rechts bis 3 cm vor Schaftende stricken und die letzten 3 cm wieder mit Nadeln Nr. 2 1/2 oder 3 im Bündchenmuster arbeiten. Anschließend die Maschen der 2. und 3. Nadel stillegen und mit den Maschen der 1. und 4. Nadel glatt rechts die Ferse weiterstricken. Ferse und Fuß arbeiten, wie auf Seite 8/9 beschrieben.

Größentabelle für Sporty Socks

Größe	22/23	24/25	26/27	28/29	30/31	32/33	34/35	36/37	38/39	40/41	42/43	44/45	46/47
Anschlag in Maschen	44	46	48	50	52	54	56	58	60	62	64	68	72
Schafthöhe in cm	24	25	26	27	28	29	30	31	32	33	34	35	36
Fersenbreite in Maschen	22	23	24	25	26	27	28	29	30	31	32	34	36
Ferse bis Spitzenbeginn in cm	8	9	10	11	11,5	13	13	14,5	16	16	17	17	18
Fußlänge gesamt in cm	15	17	18	19	20,5	22	23	24,5	26	27	28	29	30

Rocky Socks

Damen-, Herren- und Kindersocken
Größen siehe Tabelle unten

Material
Regia 4fädig Color

Verbrauch
Siehe Tabelle unten

Nadeln
Nadelspiel Nr. 2 1/2 – 3.

Bündchenmuster für den Schaft
2 Maschen rechts, 2 Maschen links im Wechsel stricken.

Grundmuster für den Schaft
Es werden Zopfstreifen aus je 15 Maschen und dazwischen ein Rippenmuster in 1. und allen folgenden ungeraden Runden nach Strickschrift gestrickt.
In 2. und allen folgenden geraden Runden werden die Maschen gestrickt, wie sie erscheinen, bei den Hebemaschen wird der Umschlag mit der Masche links zusammengestrickt. Für das Rippenmuster muß zwischen den Zopfstreifen eine durch 3 teilbare Maschenanzahl vorhanden sein. Vor und nach den Zopfstreifen den Mustersatz = MS zwischen den Doppelpfeilen fortlaufend wiederholen.

Die 1. – 8. Runde fortlaufend wiederholen.

Glatt rechts für den Fuß
In Hinreihen rechts, in Rückreihen links, in Runden jede Runde rechts stricken.

Arbeitsanleitung
Achtung! Wir haben den Schaft der Socken so beschrieben, daß beim Stricken die Innenseite außen ist. Zum Tragen werden sie 2 x gekrempelt, so daß die rechte Seite außen ist. In Strickrichtung wird jede Runde mit der 1. Nadel begonnen und mit der 4. Nadel beendet. Alle erforderlichen Maßangaben entnehmen Sie bitte der Tabelle.

Für die gewünschte Größe mit der von Ihnen ermittelten Nadelstärke die erforderlichen Maschen anschlagen und gleichmäßig auf 4 Nadeln verteilen. Für den Schaft im Bündchenmuster die obere Bündchenmusterhöhe, im Grundmuster die Grundmusterhöhe und wieder im Bündchenmuster die untere Bündchenmusterhöhe stricken. Beim Grundmuster wird mit den letzten 7 Maschen der 1. Nadel und mit den ersten 8 Maschen der 2. Nadel der 1. Zopfstreifen, mit den letzten 7 Maschen der 3. Nadel und den ersten 8 Maschen

Größentabelle für Rocky Socks

Größe	22/23	24/25	26/27	28/29	30/31	32/33	34/35	36/37	38/39	40/41	42/43	44/45	46/47
ca. Verbrauch in g pro Paar	50	50	50	50	100	100	100	100	150	150	150	150	150
Anschlag in Maschen	52	52	60	60	64	64	72	72	76	76	84	84	88
Obere Bündchenmusterhöhe in cm	4	4	5	5	6	6	7	7	8	8	9	9	10
Zunahmen für Grundmuster in Maschen	2	2	–	–	2	2	–	–	2	2	–	–	2
Grundmusterhöhe in cm	6	6	7	7	8	8	9	9	10	10	11	11	12
Abnahmen nach dem Grundmuster	10	10	12	12	14	14	16	16	18	18	20	20	22
Maschenanzahl nach Grundmuster	44	44	48	48	52	52	56	56	60	60	64	64	68
Untere Bündchenmusterhöhe in cm	9	9	10	10	11	11	12	12	13	13	14	14	15
Fersenbreite in Maschen	22	22	24	24	26	26	28	28	30	30	32	32	34
Fersenende bis Spitzenbeginn in cm	7	9	9,5	10,5	11	13	13,5	14,5	16	17	17	18	19
Fußlänge gesamt in cm	15	17	18	19	20	22	23	24	26	27	28	29	30

der 4. Nadel der 2. Zopfstreifen gestrickt. Zwischen den Zöpfen stricken Sie das Rippenmuster, und falls erforderlich nehmen Sie dafür in 1. Musterrunde auf 2. und 4. Nadel je 1 Masche zu. Nach dem Grundmuster werden nach Tabelle Maschen gleichmäßig verteilt abgenommen, und Sie stricken mit der Maschenanzahl nach dem Grundmuster, auf 4 Nadeln gleichmäßig verteilt, weiter. Anschließend stricken Sie glatt rechts den Fuß, wie auf Seite 8/9 beschrieben.

Strickschrift für Rocky Socks

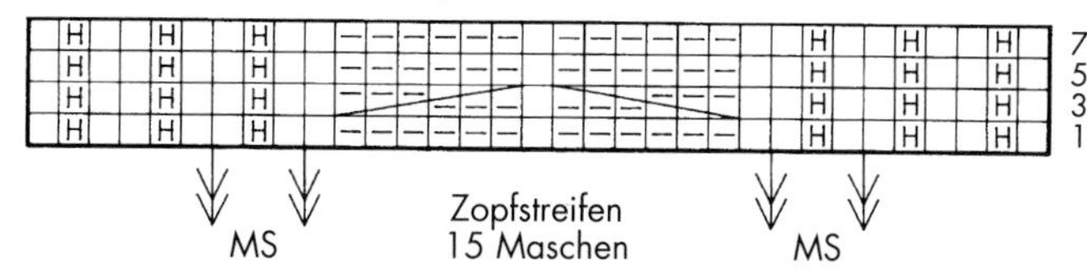

Zeichenerklärung

□ = 1 rechte Masche
⊟ = 1 linke Masche
H = 1 Hebemasche = 1 Masche mit 1 Umschlag links abheben und in folgender Runde die Masche mit dem Umschlag links zusammenstricken.
= 3 Maschen auf einer Hilfsnadel **vor** die Arbeit legen, folgende 3 Maschen links, dann die 3 Hilfsnadelmaschen links stricken.
= 3 Maschen auf einer Hilfsnadel **hinter** die Arbeit legen, folgende 3 Maschen links, dann die 3 Hilfsnadelmaschen links stricken.

Socken mit Aranmuster

Größe 37/38 (andere Größen siehe Tabelle)

Material:

Lfd. Nr.	Qualität	Farbe	Verbrauch
1	Regia 4fädig	1992 natur	100 g

Nadeln
Nadelspiel Nr. 2 – 3.

Bündchenmuster
2 Maschen rechts, 2 Maschen links im Wechsel stricken.

Grundmuster
Den Schaft nach der Strickschrift arbeiten. In den nichtgezeichneten Runden alle Maschen stricken wie sie erscheinen. Die 1. bis 12. Runde bis zur gewünschten Höhe stets wdh. Den Fuß glatt rechts stricken.

Arbeitsanleitung
Mit dem Nadelspiel schlagen Sie 68 Maschen = 17 Maschen auf jeder Nadel an und stricken 6 cm im Bundmuster. Anschließend den Schaft ca. 18 cm (oder in der gewünschten Höhe) nach der Strickschrift arbeiten. Danach stricken Sie noch eine Runde rechte Maschen und nehmen dabei gleichmäßig verteilt 8 Maschen ab = 60 Maschen. Den Fuß stricken Sie glatt rechts weiter, wie auf Seite 8/9 beschrieben.

Strickschrift

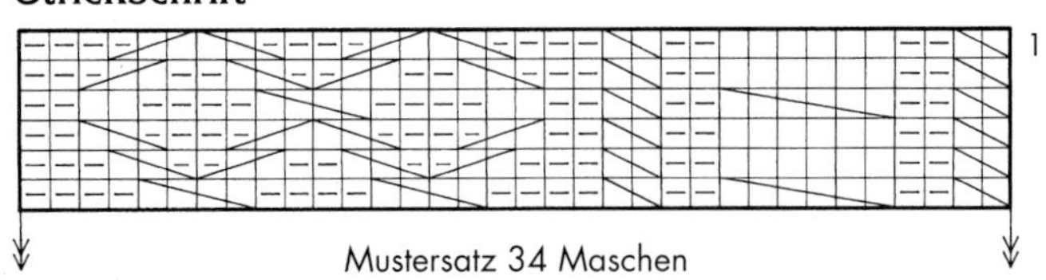

Zeichenerklärung
□ = rechte Maschen
⊟ = linke Maschen
= 2 Maschen miteinander verkreuzen
= 2 Maschen auf einer Hilfsnadel vor die Arbeit legen, folgende 2 Maschen rechts, dann die 2 Hilfsnadelmaschen rechts stricken.
= 3 Maschen auf einer Hilfsnadel vor die Arbeit legen, folgende 3 Maschen rechts, dann die 3 Hilfsnadelmaschen rechts stricken.
= 2 Maschen auf einer Hilfsnadel vor die Arbeit legen, folgende Masche links, dann die 2 Hilfsnadelmaschen rechts stricken.
= 1 Masche auf einer Hilfsnadel hinter die Arbeit legen, folgende 2 Maschen rechts, dann die Hilfsnadelmasche links stricken.

Maschenprobe für alle Modelle:
30 Maschen und 42 Reihen bzw. Runden = 10 x 10 cm

Größentabelle

Größe	22/23	24/25	26/27	28/29	30/31	32/33	34/35	36/37	38/39	40/41	42/43	44/45	46/47
Anschlag in Maschen	60	60	60	60	70	70	70	70	80	80	80	90	90
Schaftlänge nach Bund in cm	14	14	14	14	18	18	18	18	22	22	22	22	22
Abnahmen in Maschen nach Schaft	16	14	12	10	18	16	14	12	20	18	16	22	18
Maschenzahl nach Abnahme	44	46	48	50	52	54	56	58	60	62	64	68	72
Fersenbreite in Maschen	22	23	24	25	26	27	28	29	30	31	32	34	36
Fersenhöhe in Reihen	22	24	24	26	26	28	28	30	30	32	32	34	36
Maschenaufnahme beidseitig	11	12	12	13	13	14	14	15	15	16	16	17	18
Ferse bis Spitzenbeginn in cm	8	9	10	11	11,5	13	13	14,5	16	16	17	17	18
Fußlänge gesamt in cm	15	17	18	19	20,5	22	23	24,5	26	27	28	29	30

Herrensocken mit Bordüren

Material:

Lfd. Nr.	Qualität	Farbe	Gr. 34 – 39	Gr. 40 – 47
1	Regia 4fädig	2143 leinen meliert	100 g	150 g
2	Regia 4fädig	2140 borke meliert	50 g	50 g
3	Regia 4fädig	2141 efeu meliert	50 g	50 g

Nadeln
Nadelspiel Nr. 2 – 3.

Bündchenmuster A
1 Masche rechts, 1 Masche links im Wechsel stricken.

Bündchenmuster B
2 Maschen links, 1 Masche auf einer Hilfsnadel vor die Arbeit legen, die folgende Masche rechts, die Hilfsnadelmasche rechts stricken, im Wechsel stricken.

Grundmuster
Glatt rechts, in Runden jede Masche rechts; teilweise werden Bordüren in Norwegertechnik nach Zählmuster 1 oder 2 eingestrickt.

Zählmuster
Den jeweiligen Rapport fortlaufend wiederholen. Passen Sie die Anschlag-Maschen in der Tabelle von Seite 9 der Teilbarkeit der einzelnen Muster an.

Zeichenerklärung
□ = 1 Masche in 1. Farbe
⊞ = 1 Masche in 2. Farbe bzw. 3. Farbe

Zählmuster für Bordüre 1

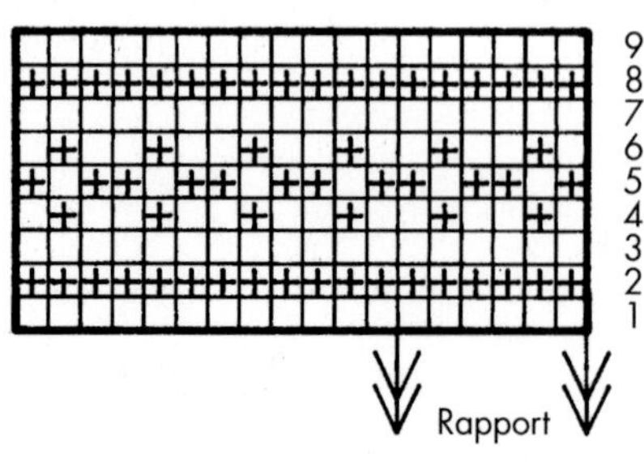

Zählmuster für Bordüre 2

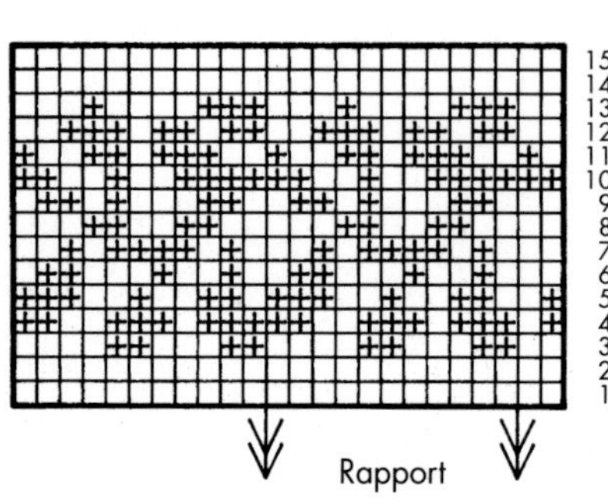

Herrensocken
Die Maschen nach der Tabelle auf Seite 9 in 1. Farbe anschlagen und 3 cm im Bündchenmuster B stricken. Glatt rechts weiterstricken. In 1. und 2. Farbe die Bordüre 1 und in 1. und 3. Farbe die Bordüre 2 stricken und noch 1 x die Bordüre 1 stricken. In 2. Farbe im Bündchenmuster B noch 8 cm stricken. Ferse, Fuß und Spitze stricken, wie auf Seite 8/9 beschrieben. Beide Socken gleich stricken.

Herrensocken mit Stickmotiv

(ohne Abbildung) Größe 40/41

Material:

Lfd. Nr.	Qualität	Farbe	Verbrauch
1	Regia 4f. color	1920 mittelgrau	100 g
2	Regia 4fädig		Reste

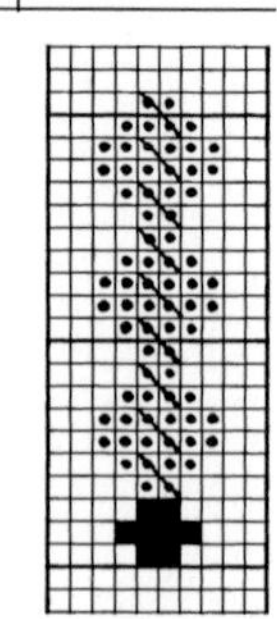

Nadeln
Nadelspiel Nr. 2 – 3.

Bündchenmuster
2 rechts, 2 links in Runden.

Grundmuster
Glatt rechts.

Arbeitsanleitung
Linker Socken: 64 Maschen = je Nadel 16 Maschen mit Nadelspiel Nr. 2 – 3 anschlagen und 15 Runden im Bündchenmuster stricken. Weiter im Bündchenmuster, nur die letzten 4 Maschen der zweiten und die ersten 6 Maschen der dritten Nadel glatt rechts stricken. Bei 20 cm Schafthöhe mit der Ferse beginnen. Ferse und Fuß stricken, wie auf Seite 8/9 beschrieben. Rechten Socken gegengleich stricken.
Auf die glatt gestrickten Flächen am Schaft das Motiv nach Stickschrift im Maschenstich aufsticken.

Socken mit Zopfmuster

Größe 39/40, 42/43

Die Angaben für Gr. 39/40 stehen vor, für Größe 42/43 nach dem Schrägstrich.

Material:

Lfd. Nr.	Qualität	Farbe	Verbrauch
1	Regia 4fädig	2143 leinen mel.	150 g

Nadeln
Nadelspiel Nr. 2 – 3.

Bündchenmuster
1 Masche rechts, 1 Masche links im Wechsel stricken.

Strickschrift
1 x 1. – 8. Runde stricken, dann 2. – 8. Runde fortlaufend wiederholen.
MS = 16/17 M
5 x arbeiten
□ = 1 rechte Masche, ⊟ = 1 linke Masche
= 3 Maschen auf einer Hilfsnadel vor die Arbeit legen, folgende Masche rechts, die 3 Hilfsnadelmaschen rechts stricken
= 3 Maschen auf einer Hilfsnadel vor die Arbeit legen, folgende Masche links, die 3 Hilfsnadelmaschen rechts stricken

Für Größe 39/40 gilt der Rapport von Doppelpfeil D bis zum linken Doppelpfeil.
Für Größe 42/43 gilt der Rapport von Doppelpfeil H bis zum linken Doppelpfeil.

Arbeitsanleitung
Mit dem Nadelspiel Nr. 2 bis 3 auf 4 Nadeln verteilt 60/64 Maschen anschlagen und 3 cm im Bündchenmuster stricken, dabei in letzter Runde verteilt 20/21 Maschen zunehmen. Bis zur gewünschten Schafthöhe im Grundmuster nach Strickschrift arbeiten. Danach 1 Runde rechts stricken und die zugenommenen Maschen wieder verteilt abnehmen = 60/64 Maschen. Ferse und Fuß glatt rechts nach Anleitung auf Seite 8/9 arbeiten.

Strickschrift

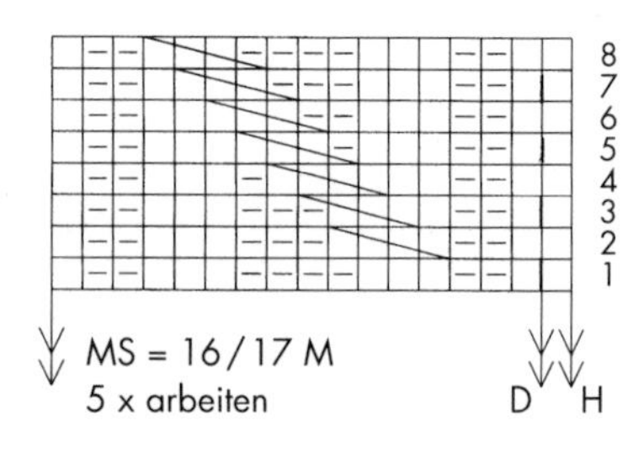

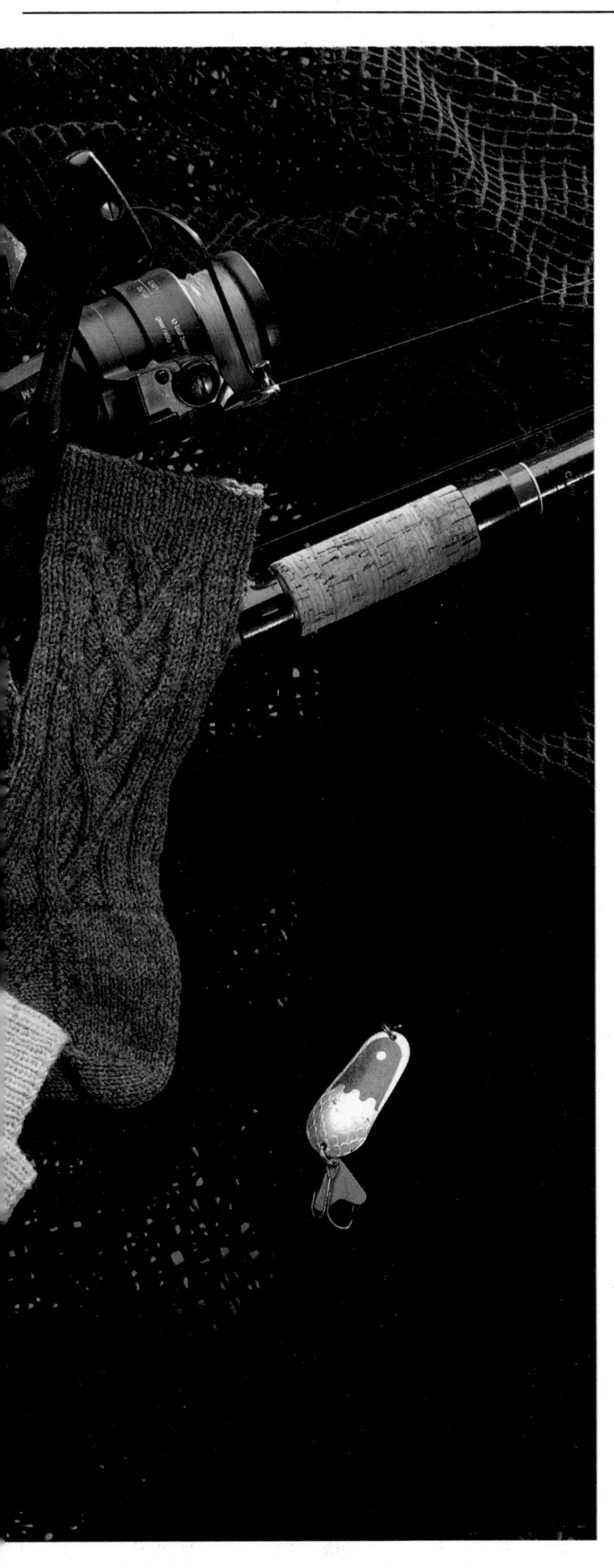

Flechtmustersocken

Größe 39/40

Material:

Lfd. Nr.	Qualität	Farbe	Verbrauch
1	Regia 4fädig	44 mittelgrau mel.	150 g

Nadeln
Nadelspiel Nr. 2 – 3.

Bündchenmuster
1 Masche rechts, 1 Masche links im Wechsel stricken.

Grundmuster
In 1., 3., 5. usw. Runde nach Strickschrift arbeiten, in 2., 4., 6., usw. Runde die Maschen stricken, wie sie erscheinen. Beiderseits des Zopfmusters zwischen dem 2. und 3. Doppelpfeil das Rippenmuster = 2 Maschen links, 3 Maschen rechts im Wechsel stricken.

Arbeitsanleitung
Die 1. – 20. Runde fortlaufend wiederholen. Auf 1. und 2. Nadel je 16 Maschen, auf 3. Nadel 17 Maschen und auf 4. Nadel 17 Maschen = insgesamt 66 Maschen anschlagen und 3 cm im Bündchenmuster stricken. Im Grundmuster weiterstricken, dabei auf 4. Nadel und das Grundmuster mit 2 M li, 3 M re beginnen. Den Mustersatz in der Höhe 3 x arbeiten = ca. 15 cm.
1 Runde rechts stricken, dabei verteilt 6 Maschen so abnehmen, daß auf jeder Nadel 15 Maschen sind.
Fuß glatt rechts arbeiten (s. S. 8/9).

Zeichenerklärung
☐ = 1 rechte Masche;
⊟ = 1 linke Masche
[Symbol] = 3 Maschen auf einer Hilfsnadel vor die Arbeit legen, 3 Maschen rechts, Hilfsnadelmaschen rechts
[Symbol] = 3 Maschen auf einer Hilfsnadel vor die Arbeit legen, 1 Masche rechts, Hilfsnadelmaschen rechts stricken
[Symbol] = 3 Maschen auf einer Hilfsnadel vor die Arbeit legen, 1 Masche links, Hilfsnadelmaschen rechts stricken
[Symbol] = 1 Masche auf einer Hilfsnadel hinter die Arbeit legen, 3 Maschen rechts, die Hilfsnadelmasche rechts stricken.
[Symbol] = 1 Masche auf einer Hilfsnadel hinter die Arbeit legen, 3 Maschen rechts, die Hilfsnadelmasche links stricken.

Strickschrift

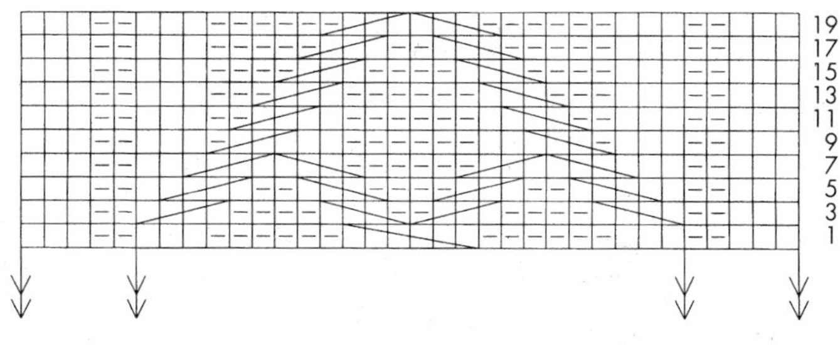

Äußerst passend

Kindergarnitur mit Hirsch-Bordüre

Material:

Lfd. Nr.	Qualität	Farbe	Verbrauch
1	Regia 4f. color	2170 senf color	250 g
2	Regia 4fädig	2903 dunkelbraun	50 g

Nadeln
Je 1 Nadelspiel Nr. 2 1/2 – 3 und Nr. 2 – 2 1/2;
Schnellstricknadeln Nr. 2 1/2 – 3.

Strickmuster

Bündchenmuster
1 rechts, 1 links im Wechsel stricken.

Grundmuster
Glatt rechts: In Runden jede Runde rechts stricken. In Reihen in Hinreihen rechts, in Rückreihen links stricken. Die Hirschbordüre wird in 1. und 2. Farbe in Norwegertechnik nach Zählmuster 1 eingestrickt, dabei den Mustersatz zwischen den Doppelpfeilen fortlaufend wiederholen.

Zählmuster

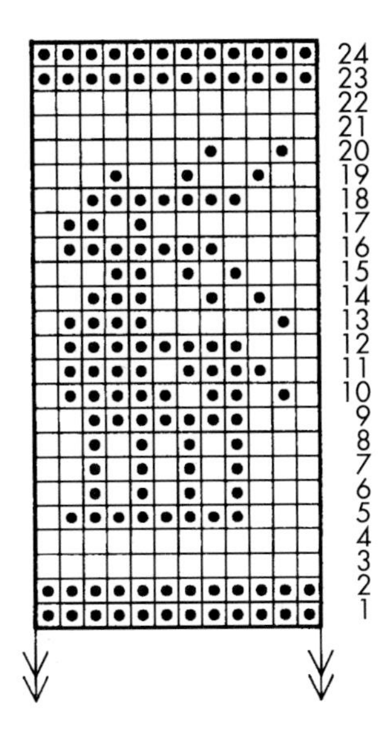

Zeichenerklärung
☐ = 1 Masche in 1. Farbe
⊡ = 1 Masche in 2. Farbe

Mütze
Für einen Kopfumfang von ca. 44 – 48 cm. Mit dem Nadelspiel Nr. 2 – 2 1/2 und 2. Farbe schlagen Sie 132 Maschen an und stricken ca. 9 cm im Bündchenmuster. Danach stricken Sie mit dem Nadelspiel Nr. 2 1/2 – 3 glatt rechts 6 Runden in 1. Farbe, 24 Runden nach Zählmuster, dann mit 1. Farbe weiter. Nach ca. 2,5 cm ab Bordüre nehmen Sie gleichmäßig verteilt 4 Maschen ab = 128 Maschen, bezeichnen jede 16. Masche und stricken in folgender Runde diese mit der Masche davor rechts zusammen = 120 Maschen. Dieses Zusammenstricken wiederholen Sie noch 2 x in jeder 3. folgenden Runde, 2 x in jeder 2. folgenden Runde = 88 Maschen, dann in jeder folgenden Runde bis nur noch 8 Maschen übrig sind. Diese ziehen Sie mit doppeltem Faden zusammen.

Fertigen Sie noch einen Pompon aus 1. Farbe mit ca. 5 cm Durchmesser an, befestigen diesen an einer ca. 12 cm langen, mit doppeltem Faden gehäkelten Kordel in 1. Farbe und nähen das andere Kordelende oben auf der Mütze fest.

Taschenschal
ca. 106 cm lang und 16 cm breit. Schlagen Sie mit Nadeln Nr. 2 1/2 – 3 und 1. Farbe 75 Maschen an und stricken Sie 3 cm im Bündchenmuster, dann 2 Reihen glatt rechts in 1. Farbe, dabei nehmen Sie in 1. Reihe gleichmäßig verteilt 25 Maschen ab = 50 Maschen.

Danach stricken Sie 1 x die **24. – 1. Reihe** (damit die Hirsche später nicht auf dem Kopf stehen) nach Zählmuster 1 und 2 Reihen glatt rechts in 1. Farbe, dabei nehmen Sie in 2. Reihe verteilt 25 Maschen wieder zu. Nun stricken Sie mit 75 Maschen im Bündchenmuster in 1. Farbe weiter. Nach ca. 68 cm ab Anschlag ist die Mitte erreicht, ab hier beenden Sie den Schal gegengleich und ketten alle Maschen in einer Gesamtlänge von 136 cm ab.

Jedes Schal-Ende legen Sie ca. 14 cm breit als Tasche um und schließen die Taschenseitenränder.

Zum Schluß spannen Sie den Schal noch, feuchten ihn an und lassen ihn trocknen.

Fäustlinge
Schlagen Sie mit dem Nadelspiel Nr. 2 – 2 1/2 und 2. Farbe 48 Maschen an und stricken ca. 2 cm im Bündchenmuster.

Danach stricken Sie mit dem Nadelspiel Nr. 2 1/2 – 3 glatt rechts 2 Reihen in 1. Farbe, 1 x die 5. – 24. Runde nach Zählmuster 1, 10 Runden glatt rechts in 1. Farbe, 1 x die 1. – 24. Runde nach Zählmuster 1 und in 1. Farbe weiter.

Nach 20 Runden = ca. 5 cm ab Bündchen nehmen Sie nach der 1. Masche auf der ersten Nadel und vor der letzten Masche auf der 4. Nadel für den Daumen je 1 Masche zu = 1 Masche rechts verdreht aus dem Zwischenglied stricken. Danach nehmen Sie noch 7 x in jeder 2. folgenden Runde auf der 1. Nadel nach der zuvor zugenommenen Masche und auf der 4. Nadel vor der zuvor zugenommenen Masche je 1 Masche zu = 18 Daumenmaschen.

Diese Maschen legen Sie auf einem Hilfsfaden still und stricken die Mittelhand weiter. Dafür schlagen Sie auf der 1. und der 4. Nadel je 1 Masche neu an. Nach ca. 16 cm ab Bündchen stricken Sie für die Spitze auf 1. Nadel und auf 3. Nadel die 1. Masche rechts, heben die 2. Masche ab, stricken die 3. Masche rechts, und heben die abgehobene Masche darüber; auf 2. und 4. Nadel stricken Sie die zweit- und drittletzte Masche rechts zusammen. Dieses Abnehmen wiederholen Sie noch 5 x in jeder 2. folgenden Runde, dann in jeder folgenden Runde, bis noch 8 Maschen übrig sind. Diese ziehen Sie mit doppeltem Faden zusammen und vernähen diesen.

Die stillgelegten Daumenmaschen verteilen Sie auf 3 Nadeln, fassen dazu noch 2 Maschen aus den neuangeschlagenen Maschen auf = 20 Maschen und stricken ca. 4 cm glatt rechts in 1. Farbe. Danach bezeichnen Sie jede 5. Masche und stricken diese mit der Masche davor rechts zusammen.

Dieses Abnehmen wiederholen Sie noch 1 x in 2. folgender Runde und 2 x in jeder folgenden Runde. Die restlichen Maschen ziehen Sie mit doppeltem Faden zusammen und vernähen diesen. Den zweiten Handschuh arbeiten Sie ebenso.

Damengarnitur

Tellermütze und Fingerhandschuhe

Material:

Lfd. Nr.	Qualität	Farbe	Verbrauch
1	Regia 4fädig	2167 sumpf color	150 g

(bzw. jeweils 100 g für Mütze und Handschuhe)

Nadeln
Je 1 Nadelspiel Nr. 2 1/2 – 3 und Nr. 2 – 2 1/2;
Rundstricknadel Nr. 2 1/2 – 3.

Strickmuster

Bündchenmuster
1 rechts, 1 links im Wechsel stricken.

Grundmuster 1
Glatt rechts: In Runden jede Runde rechts stricken. In Reihen in Hinreihen rechts, in Rückreihen links stricken.

Grundmuster 2
Glatt links: In Runden jede Runde links stricken. In Reihen in Hinreihen links, in Rückreihen rechts stricken.

Zopfmuster 1
für das Bündchen der Fingerhandschuhe
Mit 4 Maschen in jeder Runde rechts stricken, dabei in 3. Runde und in jeder 8. folgenden Runde 2 Maschen auf einer Hilfsnadel **vor** die Arbeit legen, die folgenden 2 Maschen rechts, dann die 2 Hilfsnadelmaschen rechts stricken.

Bei der Mittelhand und den Fingern stricken Sie mit 6 Maschen im Zopfmuster 2 weiter: In 8. Runde ab Bündchen, dann in jeder 8. folgenden Runde nehmen Sie 3 Maschen auf einer Hilfsnadel **vor** die Arbeit,

Anleitung für
die Herrensocken Seite 70.

stricken die folgenden 3 Maschen rechts, danach die 3 Hilfsnadelmaschen rechts.

Tellermütze

für einen Kopfumfang von ca. 52 – 56 cm. Mit dem Nadelspiel Nr. 2 1/2 – 3 schlagen Sie 12 Maschen an und stricken 2 Runden glatt rechts, dann 4 Runden glatt links, 4 Runden glatt rechts im Wechsel. Um einen runden Teller zu erhalten werden in 2. Runde verteilt 6 Maschen zugenommen = jeweils 1 Masche rechts verdreht aus dem Zwischenglied stricken = 18 Maschen, dann nehmen Sie in jeder folgenden 1. Glatt-rechts-Runde wie folgt zu:

In 7. Runde ab Anschlag und 2 x in jeder 8. folgenden Runde je 18 Maschen = 72 Maschen. Nun bezeichnen Sie in der 8. folgenden Runde jede 2. Masche = 36 bezeichnete Maschen und nehmen vor jeder bezeichneten Masche je 1 Masche zu = 108 Maschen. Dieses Zunehmen wiederholen Sie noch 4 x in jeder 8. folgenden Runde = insgesamt 144 zugenommene Maschen = 252 Maschen.

Sie stricken mit diesen Maschen noch 3 Runden glatt rechts und 4 Runden glatt links = insgesamt 70 Runden ab Anschlag, dann stricken Sie gegengleich weiter, d.h. 4 Runden glatt links und 4 Runden glatt rechts im Wechsel, dabei nehmen Sie in jeder folgenden letzten Glatt-rechts-Runde Maschen ab = in 4. Runde ab dem 8 Runden breiten Glatt-links-Streifen 36 x jede 6. und 7. Masche rechts zusammenstricken = 216 Maschen, in 8. folgender Runde 36 x jede 5. und 6. Masche rechts zusammenstricken = 180 Maschen und in 8. folgender Runde 20 x jede 8. und 9. Masche rechts zusammenstricken = 160 Maschen.

Mit Nadeln Nr. 2 – 2 1/2 stricken Sie noch ca. 9 cm im Bündchenmuster und ketten alle Maschen locker ab. Den Mützenteller spannen Sie auf einen Durchmesser von ca. 28 cm, dann feuchten Sie ihn an und lassen ihn trocknen. Das Bündchen legen Sie zur Hälfte nach innen um und nähen es lose an.

Fingerhandschuhe für 2 Größen

Angaben für kleine Hände vor, für mittelgroße nach dem Schrägstrich. Beginnen Sie mit dem **linken Fingerhandschuh**: Schlagen Sie mit dem Nadelspiel Nr. 2 – 2 1/2 auf 1. und 2. Nadel je 16 Maschen, auf 3. und 4. Nadel je 14 Maschen = insgesamt 60 Maschen / auf jeder Nadel 16 Maschen = insgesamt 64 Maschen an. Das Bündchen stricken Sie glatt links und im Zopfmuster 1 in folgender Einteilung: Auf 1. und 2. Nadel ✻ 2 Maschen links, 4 Maschen rechts, 2 Maschen links, ab ✻ 3 x wiederholen, auf 3. und 4. Nadel ✻ 2 Maschen glatt links, 4 Maschen glatt rechts, 1 Masche glatt links, ab ✻ 3 x wiederholen / in der gesamten Runde ✻ 2 Maschen glatt links, 4 Maschen glatt rechts, 2 Maschen glatt links, ab ✻ bis Rundenende 7 x wiederholen.

Nach ca. 8 cm Bündchenhöhe = in 35. Runde nehmen Sie während des Verkreuzens nur bei den Zöpfen auf 1. und 2. Nadel wie folgt Maschen zu: Bei jedem dieser 4 Zöpfe 2 Maschen auf einer Hilfsnadel **vor** die Arbeit legen, folgende Masche rechts, 1 Umschlag auf die Nadel nehmen, 1 Masche rechts, die 1. Hilfsnadelmasche rechts, 1 Masche rechts verdreht aus dem Zwischenglied stricken, 2. Hilfsnadelmasche rechts stricken = insgesamt 8 zugenommene Maschen = auf 1. und 2. Nadel je 20 Maschen und auf 3. und 4. Nadel je 14/16 Maschen.

Mit Nadeln Nr. 2 1/2 – 3 1/2 stricken Sie mit 2. und 3. Nadel glatt links, mit 1. und 2. Nadel in gegebener Einteilung weiter, dabei die rechten Maschen im Zopfmuster 2 weiterstricken und die Umschläge rechts verdreht abstricken.

Außerdem wird für den **Daumenspickel** die 1. Masche auf der 1. Nadel rechts weitergestrickt und in 3. Runde

ab Bündchen nach der 1. Masche auf der 1. Nadel 1 Masche rechts verdreht und vor der zweitletzten Masche auf 4. Nadel 1 Masche links verdreht aus dem Zwischenglied stricken. Danach nehmen Sie noch 7/8 x in jeder 3. folgenden Runde in gleicher Weise auf der 1. Nadel nach der zuvor zugenommenen Masche, auf 4. Nadel vor der zuvor zugenommenen Masche je 1 Masche zu. Auf 1. Nadel stricken Sie die ersten 5 Zunahmen rechts und passen danach die 6 Maschen dem Zopfmuster 2 an, die restlichen Zunahmen stricken Sie glatt links.

Wenn der Daumenspickel nach den letzten Zunahmen 19/21 Maschen breit ist, stricken Sie noch 1 Runde darüber, legen dann die Spickelmaschen still und stricken die Mittelhand weiter. Dafür werden auf 1 Nadel 1 Masche und auf 4. Nadel 2 Maschen neuangeschlagen und glatt links gestrickt.

Nach ca. 9,5/10,5 cm Mittelhandlänge stricken Sie die Finger wie folgt: Für den **Zeigefinger** nehmen Sie von der 4. Nadel die letzten 7/8 Maschen, von 1. Nadel die ersten 10 Maschen und schlagen für den Steg zwischen Zeige- und Mittelfinger 2 Maschen neu an = 19/20 Maschen. Sie stricken den Finger ca. 6/7 cm hoch, dabei läuft der Zopf oben auf dem Finger weiter.

Die Spitze arbeiten Sie wie folgt: Jede 5. Masche wird bezeichnet und in folgender Runde mit der Masche davor rechts, bzw. links zusammengestrickt. In 2. folgender Runde wird bei Größe 6 nun noch zusätzlich die letzte Masche in der Runde bezeichnet und alle bezeichneten Maschen stricken Sie mit der Masche davor zusammen. Diesen Vorgang wiederholen Sie noch 2 x in jeder folgenden Runde und ziehen die restlichen Maschen mit doppeltem Faden zusammen. Für den **Mittelfinger** fassen Sie aus dem Steg 2 Maschen auf, nehmen die letzten 10 Maschen der 1. Nadel, die ersten 7/8 Maschen der 4. Nadel und schlagen für den Steg zwischen Mittel- und Ringfinger 2 Maschen neu an = 21/22 Maschen, stricken bis zu einer Fingerhöhe von ca. 6,5/7,5 cm und arbeiten die Spitze: 3/2 x jede 5. Masche und 1/2 x jede 6. Masche bezeichnen und in folgender Runde, 1 x in 2. folgender Runde und 2 x in jeder folgenden Runde die bezeichnete Masche mit der Masche davor rechts, bzw. links zusammenstricken. Die restlichen Maschen ziehen Sie mit doppeltem Faden zusammen.

Den **Ringfinger** stricken Sie mit den ersten 10 Maschen von 2. Nadel, den letzten 7/8 Maschen von 3. Nadel 2 aufgefaßten Stegmaschen und 2 neuangeschlagenen Stegmaschen = insgesamt 21/22 Maschen ebenso, jedoch wird die Spitze bereits nach 6/7 cm Fingerlänge gearbeitet.

Mit den restlichen Maschen und 2 aufgefaßten Stegmaschen = 19/20 Maschen stricken Sie den **kleinen Finger** und arbeiten die Spitze wie beim Zeigefinger nach ca. 4,5/5 cm Fingerhöhe. Zum Schluß verteilen Sie die stillgelegten 19/20 Spickelmaschen auf 3 Nadeln und fassen aus den neuangeschlagenen Maschen 3 Maschen dazu auf = 22/24 Maschen, stricken bis zu einer Daumenhöhe von ca. 5/5,5 cm Höhe und arbeiten die Spitze: Sie bezeichnen 2 x jede 5. Masche und 2 x jede 6. Masche/4 x jede 6. Masche und stricken in folgender Runde, 1 x in 2. folgender Runde und 2/3 x in jeder folgenden Runde jede bezeichnete Masche mit der Masche davor zusammen. Die restlichen Maschen ziehen Sie mit doppeltem Faden zusammen.

Der **rechte Handschuh** ist ebenso schnell gegengleich gestrickt, d. h. den Daumenspickel mit Daumen stricken Sie mit der letzten Masche der 2. Nadel und den beiden ersten Maschen der 3. Nadel.

Damensocken

Größe 38/39

Wollen Sie eine andere Größe stricken, so entnehmen Sie die dafür erforderlichen Angaben der Größentabelle auf Seite 70 und passen das Muster der Maschenzahl an.

Material:

Lfd. Nr.	Qualität	Farbe	Verbrauch
1	Regia 4fädig	2176 kongo color	150 g

Nadeln
Je 1 Nadelspiel Nr. $2\,^1/_2$ – 3 und Nr. 2 – $2\,^1/_2$.

Strickmuster

Bündchenmuster
1 rechts, 1 links im Wechsel stricken.

Grundmuster
In den ungeraden Runden = 1., 3. usw. Runde nach Strickschrift D stricken, dabei den Mustersatz zwischen den Doppelpfeilen fortlaufend wiederholen. In den geraden Runden werden alle Maschen und Umschläge rechts gestrickt.

1 x die 1. – 26. Runde stricken, dann die 3. – 26. Runde fortlaufend wiederholen.
Mit dem Nadelspiel Nr. 2 – 2 1/2 schlagen Sie 80 Maschen = auf jeder Nadel 20 Maschen an und stricken ca. 4 cm im Bündchenmuster. Danach stricken Sie mit dem Nadelspiel Nr. 2 1/2 – 3 im Grundmuster weiter. Nach insgesamt ca. 25 cm Schafthöhe stricken Sie noch 1 Runde rechte Maschen und nehmen dabei auf jeder Nadel verteilt 5 Maschen ab = 15 Maschen je Nadel = insgesamt 60 Maschen. Den Fuß stricken Sie glatt rechts weiter, wie auf Seite 8/9 beschrieben.

Stricken Sie diese Damensocken oder die Herrensocken von Seite 70 farblich passend zu anderen Accessoires aus diesem Kapitel.

Strickschrift

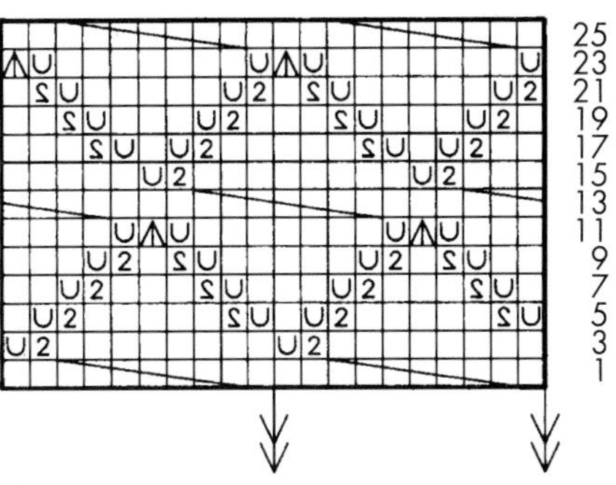

Zeichenerklärung

□ = 1 rechte Masche
U = 1 Umschlag
2 = 2 Maschen rechts zusammenstricken
S = 1 Masche abheben, folgende Masche rechts stricken und die abgehobene Masche darüberziehen.
Λ = 2 Maschen zusammen rechts abheben, folgende Masche rechts stricken und die abgehobenen Maschen so darüberziehen, daß die mittlere Masche obenauf liegt.
(Zopfzeichen über 7 Maschen) = 4 Maschen auf einer Hilfsnadel vor die Arbeit legen, folgende 3 Maschen rechts, dann die 4 Hilfsnadelmaschen rechts stricken.
(Zopfzeichen über 10 Maschen) = 5 Maschen auf einer Hilfsnadel vor die Arbeit legen, folgende 5 Maschen dem Bündchenmuster entsprechend, dann die 5 Hilfsnadelmaschen im Bündchenmuster stricken.

Herrensocken

(Abb. S. 66) Größe 42/43

Wollen Sie eine andere Größe stricken, so entnehmen Sie die dafür erforderlichen Angaben der Größentabelle auf Seite 70 und passen das Muster der Maschenzahl an.

Material:

Lfd. Nr.	Qualität	Farbe	Verbrauch
1	Regia 4f. color	2173 stein color	150 g

Nadeln
Je 1 Nadelspiel Nr. 2 1/2 – 3 und Nr. 2 – 2 1/2.

Strickmuster

Bündchenmuster
1 rechts, 1 links im Wechsel stricken.

Grundmuster
In Runden nach Strickschrift stricken, dabei den Mustersatz zwischen den Doppelpfeilen fortlaufend wiederholen.
Die 1. – 8. Reihe fortlaufend wiederholen.

Strickschrift

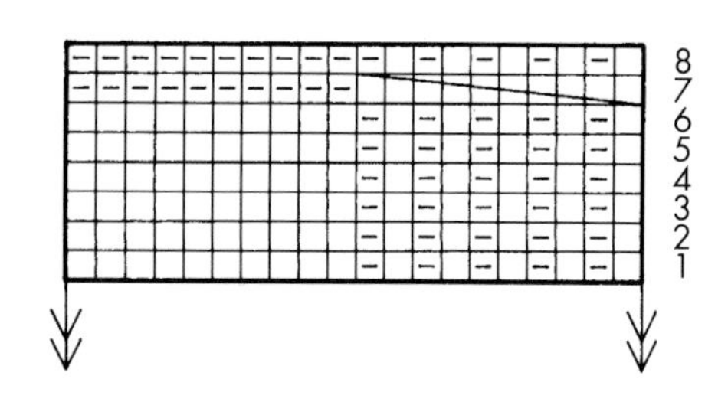

Zeichenerklärung
□ = 1 rechte Masche
⊟ = 1 linke Masche
▭ = 5 Maschen auf einer Hilfsnadel vor die Arbeit legen, folgende 5 Maschen dem Bündchenmuster entsprechend, dann die 5 Hilfsnadelmaschen im Bündchenmuster stricken.

Mit dem Nadelspiel Nr. 2 – 2 1/2 schlagen Sie 80 Maschen = auf jeder Nadel 20 Maschen an und stricken 4 cm im Bündchenmuster. Danach stricken Sie mit dem Nadelspiel Nr. 2 1/2 – 3 1/2 im Grundmuster weiter, und nach 104 Reihen = ca. 22 cm ab Bündchen stricken Sie 1 Runde rechte Maschen und nehmen dabei gleichmäßig verteilt 16 Maschen ab = 64 Maschen. Den Fuß stricken Sie glatt rechts weiter, wie auf Seite 8/9 beschrieben.

Größentabelle für die Damen- und Herrensocken von Seite 68 – 70

Größe	22/23	24/25	26/27	28/29	30/31	32/33	34/35	36/37	38/39	40/41	42/43	44/45	46/47
Anschlag in Maschen	60	60	60	60	70	70	70	70	80	80	80	90	90
Schaftlänge nach Bund in cm	14	14	14	14	18	18	18	18	22	22	22	22	22
Abnahmen in Maschen nach Schaft	16	14	12	10	18	16	14	12	20	18	16	22	18
Maschenzahl nach Abnahme	44	46	48	50	52	54	56	58	60	62	64	68	72
Fersenbreite in Maschen	22	23	24	25	26	27	28	29	30	31	32	34	36
Fersenhöhe in Reihen	22	24	24	26	26	28	28	30	30	32	32	34	36
Maschenaufnahme beidseitig	11	12	12	13	13	14	14	15	15	16	16	17	18
Ferse bis Spitzenbeginn in cm	8	9	10	11	11,5	13	13	14,5	16	16	17	17	18
Fußlänge gesamt in cm	15	17	18	19	20,5	22	23	24,5	26	27	28	29	30

Handschuhe mit Herzmuster

Fausthandschuhe

Material:

Lfd. Nr.	Qualität	Farbe	Verbrauch
1	Regia 4fädig	600 weiß	100 g

Nadeln
2 Nadelspiele Nr. 2 – 3.

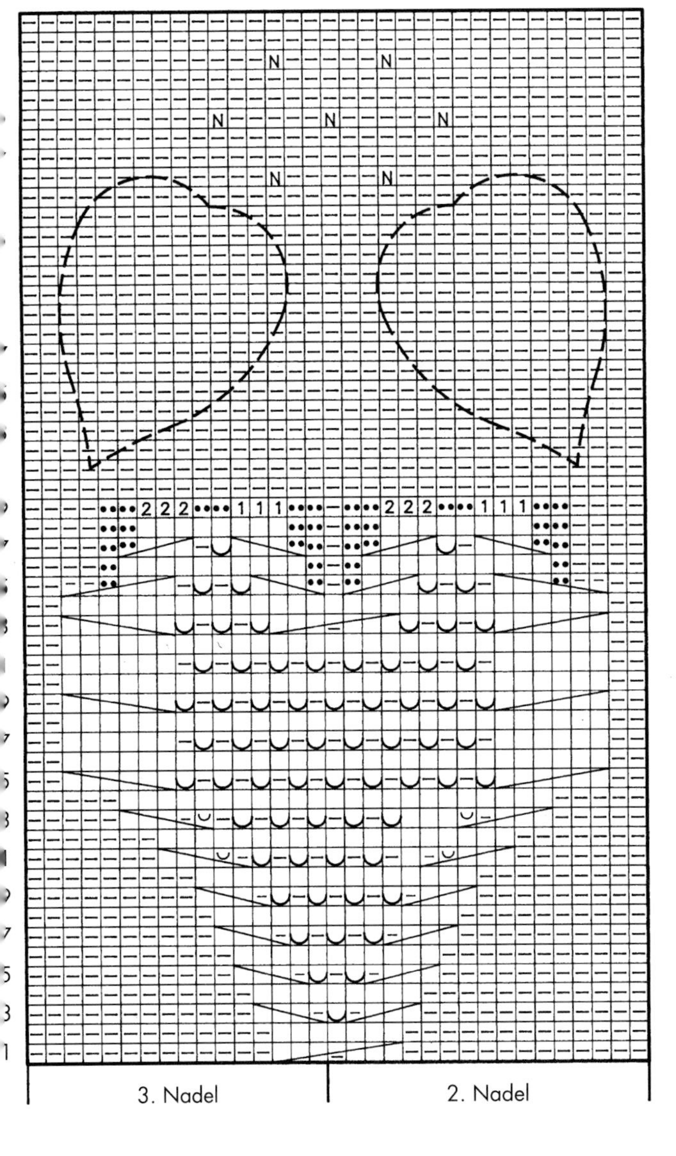

Bündchenmuster
2 Maschen rechts, 2 Maschen links im Wechsel stricken. Glatt rechts: jede Runde rechts stricken. Glatt links: jede Runde links stricken.

Herzmuster
In jeder Runde nach Strickschrift 1 x die 1. – 54. Runde stricken.

Zeichenerklärung

= 1 linke Masche
= 2 linke Maschen
= 1 rechte Masche
= 1 Masche links abheben, der Faden liegt vor der Masche
= 3 Maschen auf einer Hilfsnadel hinter die Arbeit legen, 1 Masche links, 3 Maschen rechts, dann die 3 Hilfsnadelnmaschen rechts stricken
= 1 Masche auf einer Hilfsnadel hinter die Arbeit legen, 3 Maschen rechts, die Hilfsnadelmasche links stricken
= 3 Maschen auf einer Hilfsnadel vor die Arbeit legen, 1 Masche links, die 3 Hilfsnadelmaschen rechts stricken
= 2 Maschen auf einer Hilfsnadel hinter die Arbeit legen, 3 Maschen rechts, dann von der Hilfsnadel 1 Masche mit Faden davor links abheben, 1 Masche links stricken
= 3 Maschen auf einer Hilfsnadel vor die Arbeit legen, 1 Masche links, 1 Masche mit Faden davor links abheben, die 3 Hilfsnadelmaschen rechts stricken
= 2 Maschen auf einer Hilfsnadel hinter die Arbeit legen, 3 Maschen rechts, dann von der Hilfsnadel 1 Masche links stricken, 1 Masche mit Faden davor links abheben
= 3 Maschen auf einer Hilfsnadel vor die Arbeit legen, 1 Masche mit Faden davor links abheben. 1 Masche links, dann die 3 Hilfsnadelmaschen rechts stricken
= 3 Maschen auf einer Hilfsnadel hinter die Arbeit legen, 3 Maschen rechts, dann die 3 Hilfsnadelmaschen rechts stricken
= 3 Maschen auf einer Hilfsnadel vor die Arbeit legen, 3 Maschen rechts, dann die 3 Hilfsnadelmaschen rechts stricken
= 3 Maschen auf einer Hilfsnadel vor die Arbeit legen, 2 Maschen links, aus folgender Masche 1 Masche links und 1 Masche links verdreht

Strickschrift für Blatt

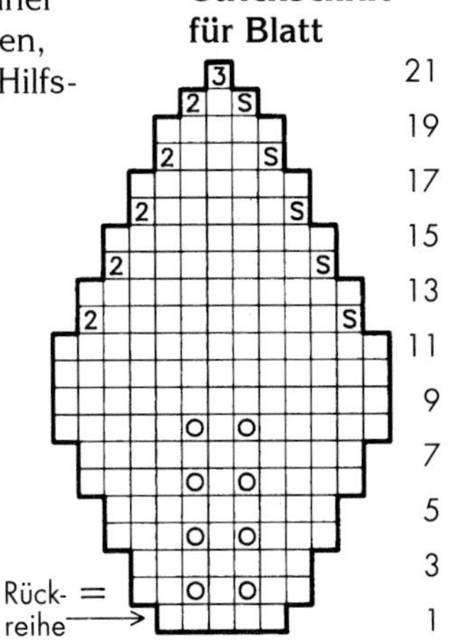

stricken, die 3 Hilfsnadelmaschen rechts stricken

= 3 Maschen auf einer Hilfsnadel hinter die Arbeit legen, 3 Maschen rechts, aus der 1. Hilfsnadelmasche 1 Masche links, 1 Masche links verdreht, die folgenden 2 Maschen links stricken

= 3 Maschen auf einer Hilfsnadel vor die Arbeit legen, aus folgender Masche 1 Masche links, 1 Masche links verdreht stricken, die 3 Hilfsnadelmaschen rechts stricken

= 1 Masche auf einer Hilfsnadel hinter die Arbeit legen, 3 Maschen rechts, aus der Hilfsnadelmasche 1 Masche links und 1 Masche links verdreht stricken.

2 2 2 • • • • 1 1 1 = bis zu den mit 1 bezeichneten Maschen stricken. Mit einem Extrafaden die mit 1 bezeichneten Maschen auf eine Hilfsnadel abstricken, aus den beiden folgenden Maschen je 1 Masche links und 1 Masche links verdreht stricken, die mit 1 bezeichneten Maschen mit Maschenstichen mit den mit 2 bezeichneten Maschen verbinden. Beim Vernähen der Fadenenden des Extrafadens den oberen Rand der verbundenen Maschen mit 2 – 3 Heftstichen festnähen.

N = Noppe : aus 1 Masche 5 Maschen (1 Masche rechts, 1 Umschlag im Wechsel) herausstricken, 4 Reihen glatt rechts stricken, dann nacheinander 4. – 1. Masche über die 5. Masche heben
O = 1 Umschlag
S = die Randmasche abheben, folgende Masche rechts und die abgehobenen Masche darüberziehen
2 = 2 Maschen rechts zusammenstricken
3 = 3 Maschen links zusammenstricken

Rechter Handschuh

60 Maschen = je Nadel 15 Maschen anschlagen und ca. 7 cm im Bündchenmuster stricken. Mit 1. und 4. Nadel glatt rechts weiterstricken, dabei auf 1. Nadel 2 Maschen = 17 Maschen, auf 4. Nadel 1 Masche = 16 Maschen zunehmen, mit 2. und 3. Nadel glatt links weiterstricken, dabei auf 2. Nadel 2 Maschen = 17 Maschen, auf 3. Nadel 1 Masche = 16 Maschen zunehmen. Für den Daumenspickel in 2. Runde die 2 ersten Maschen der 4. Nadel auf eine 5. Nadel nehmen und zu Beginn und am Ende dieser Nadel je 1 Masche rechts verdreht aus dem Zwischenglied stricken. Dieses Zunehmen am Nadelbeginn und -ende der 5. Nadel noch 9 x in jeder 3. folgenden Runde wiederholen = 22 Maschen. Noch 1 Runde stricken, dann diese Maschen stillegen und dafür am Beginn der 4. Nadel 2 Maschen neu anschlagen. In 19. Runde mit den mittleren 7 Maschen der 2. und 3. Nadel das Herz beginnen und nach 53 Runden ab Herzbeginn glatt links weitersticken. Nach ca. 14 cm ab Bündchen für die Spitze am Ende der 1. Nadel die zweit- und drittletzte Masche rechts zusammenstricken, die letzte Masche rechts stricken; bei 2. Nadel die 1. Masche links stricken und die beiden folgenden Maschen links zusammenstricken; auf 3. Nadel die zweit- und drittletzte Masche links zusammenstricken, die letzte Masche links stricken; auf 4. Nadel die 1. Masche rechts stricken und die beiden folgenden Maschen rechts zusammenstricken. Dieses Abnehmen noch 3 x in jeder 2. folgenden Runde, dann in jeder Runde wiederholen, bis 10 Maschen übrig sind. Diese Maschen mit doppeltem Faden zusammenziehen. Faden vernähen. Die Blätter nach Strickschrift stricken und aufnähen, wie angegeben.

Daumen: Die stillgelegten Maschen auf 4 Nadeln verteilen und aus den neu angeschlagenen Maschen 2 Maschen dazu auffassen = 6 Maschen je Nadel. Ca. 5 cm glatt rechts stricken, dann für die Spitze am Ende jeder Nadel 2 Maschen rechts zusammenstricken. Diesen Vorgang noch 1 x in 2. folgender Runde und 3 x in jeder folgenden Runde wiederholen. Restliche Maschen mit doppeltem Faden zusammenziehen. Faden vernähen.
Linken Handschuh gegengleich stricken.

Fingerhandschuhe

Material:

Lfd. Nr.	Qualität	Farbe	Verbrauch
1	Regia 4fädig	600 weiß	150 g

Nadeln
2 Nadelspiele Nr. 2 – 3

Zunächst wie die Fausthandschuhe, aber nur mit Herz arbeiten. Das Herz in 9. Runde ab Bündchen beginnen und nach 11 cm Mittelhandhöhe die Maschen für die Finger einteilen.

Zeigefinger: Von 1. und 2. Nadel je 9 Maschen und 2 Maschen für den Steg zwischen den Fingern neu anschlagen = 20 Maschen

Mittelfinger: Restliche je 8 Maschen von 1. und 2. Nadel, 2 Maschen aus dem Steg dazu auffassen und 2 Maschen für den folgenden Steg neu anschlagen = 20 Maschen

Ringfinger: Je 8 Maschen von 3. und 4. Nadel, 2 Maschen aus dem Steg dazu auffassen und 2 Maschen für den folgeden Steg neu anschlagen = 20 Maschen
Kleiner Finger: Restliche je 8 Maschen von 3. und 4. Nadel und 2 Maschen aus dem Steg dazu auffassen = 18 Maschen

Den Zeige- und Ringfinger ca. 7 cm hoch. Den Mittelfinger ca. 7,5 cm hoch, den kleinen Finger ca. 5 cm hoch jeweils bis zur Spitze arbeiten.

Für die Spitze jede 4. und 5. Masche rechts zusammenstricken, in 2. folgender Runde jede 3. und 4. Masche, in folgender Runde jede 2. und 3. Masche und in folgender Runde von Rundenbeginn bis Rundenende immer je 2 Maschen rechts zusammenstricken. Restliche Maschen mit doppeltem Faden zusammenziehen, Faden vernähen.

Maschenprobe für alle Modelle:
30 Maschen und 42 Reihen bzw. Runden = 10 x 10 cm

Garnitur mit Taschenschal und Stulpen

Material:

Lfd. Nr.	Qualität	Farbe
1	Regia 6fädig	1991 hellgrau meliert

Verbrauch
Socken: 200 g; Stulpen: 300 g; Schal: 400 g; Handschuhe: 100 g

Nadeln
Für die Socken, Stulpen und Handschuhe 1 Nadelspiel Nr. 3 – 3 1/2. Für den Schal 1 Paar Schnellstricknadeln Nr. 3 – 3 1/2.

Maschenprobe
Mit Nadeln Nr. 3 – 3 1/2 bei glatt rechts 25 Maschen und 33 Runden = 10 x 10 cm: mit Nadeln Nr. 3 – 3 1/2 beim Halbpatentmuster 23 Maschen und 50 Reihen/Runden = 10 x 10 cm. Bei abweichender Maschenprobe entsprechend dickere oder dünnere Nadeln verwenden.

Strickmuster

Glatt rechts:
In Hinreihen rechts, in Rückreihen links, in Runden jede Runde rechts stricken.

Halbpatent:
Jede Reihe beginnt und endet mit einer Randmasche.
1. Reihe/Runde: ✱ 1 Masche mit einem Umschlag links abheben, 1 Masche links, ab ✱ fortlaufend wiederholen.

2. Reihe: ✱ Masche rechts, den Umschlag der Vorreihe mit der Masche links zusammenstricken, ab ✱ fortlaufend wiederholen.

Strickschrift

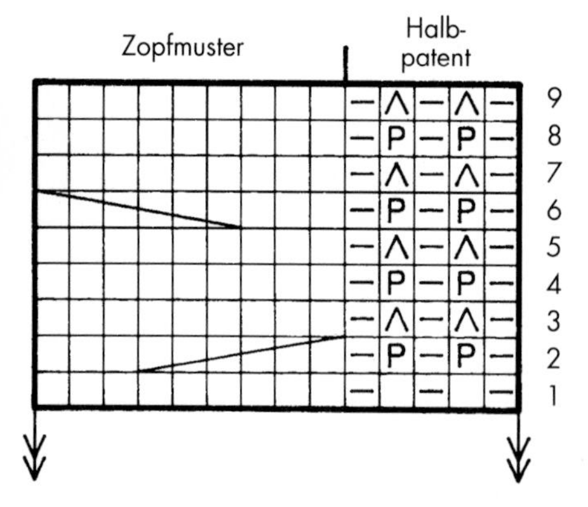

In Runden 2. Runde: ✱ Den Umschlag der Vorrunde mit der Masche rechts zusammenstricken, 1 Masche links, ab ✱ fortlaufend wiederholen. Die 1. und 2. Reihe/Runde fortlaufend wiederholen.

Muster 1
In Hin- und Rückreihen bzw. in Runden nach Strickschrift stricken. 1 x die 1. – 9. Reihe/Runde stricken, dann die 2. – 9. Reihe/Runde fortlaufend wiederholen.

Socken

Größe 38/39

70 Maschen auf 4 Nadeln verteilt mit dem Nadelspiel Nr. 3 – 4 anschlagen und für den Umschlag im Muster 1 nach Strickschrift den Mustersatz zwischen den Doppelpfeilen 5 x stricken. Nach 13 cm ab Anschlag 1 Abnahmerunde stricken = innerhalb der ersten 3 Zöpfe je 4 Maschen und innerhalb der beiden letzten Zöpfe je 3 Maschen rechts zusammenstricken = 52 Maschen. Diese Maschen auf 4 Nadeln verteilen = 13 Maschen je Nadel. Im Halbpatentmuster in entgegengesetzter Richtung (wegen des Umschlages) weiterstricken. Nach 15 cm ab Musterwechsel den Fuß glatt rechts weiterstricken. Die Ferse mit 26 Maschen der 1. und 4. Nadel in Reihen glatt rechts 26 Reihen hoch stricken, dabei die 1. und letzte Masche vor bzw. nach der Randmasche in Hin- und Rückreihen links stricken.

Danach für das Käppchen die Maschen in 3 Teile teilen: Die äußeren Teile erhalten je 9 Maschen, der Mittelteil 8 Maschen. In 1. Reihe die 9 Maschen des Außenteils und 7 Maschen des Mittelteils stricken. ✱ Die 8. Masche abheben, folgende Masche des linken Außenteils rechts stricken und die abgehobene Masche darüberziehen. Wenden, die 1. Masche links

Zeichenerklärung
□ = in Hinreihen 1 rechte Masche, in Rückreihen 1 linke Masche; in Runden 1 rechte Masche
⊟ = in Hinreihen 1 linke Masche, in Rückreihen 1 rechte Masche; in Runden 1 linke Masche
P = 1 Masche mit 1 Umschlag links abheben
Λ = in der Rückreihe den Umschlag der Vorreihe mit der Masche links zusammenstricken; in Runden den Umschlag der Vorrunde mit der Masche rechts zusammenstricken.
[Symbol] = 3 Maschen auf einer Hilfsnadel vor die Arbeit legen, folgende 3 Maschen rechts, dann die Hilfsnadelmaschen rechts stricken.
[Symbol] = 3 Maschen auf einer Hilfsnadel hinter die Arbeit legen, folgende 3 Maschen rechts, dann die 3 Hilfsnadelmaschen rechts stricken.

abheben, folgende 6 Maschen des Mittelteils links stricken, die 8. Masche mit der folgenden Masche des Außenteils links zusammenstricken. Wenden, die 1. Masche des Mittelteils abheben und folgende 6 Maschen rechts stricken. Diesen Vorgang ab ✻ so oft wiederholen, bis alle Maschen der Außenteile aufgebraucht sind.

Die restlichen 8 Maschen auf 2 Nadeln verteilen und wieder in Runden weiterstricken, Rundenbeginn ist in der Mitte. In folgender Runde die 4 Maschen der 1. Nadel rechts stricken, aus dem Fersenrand 13 Maschen dazu auffassen, die 2. und 3. Nadel stricken, 13 Maschen aus dem Fersenrand auffassen und die 4 Maschen der 4. Nadel dazu stricken.

Für die Spickelabnahmen 4 x in jeder 2. folgenden Runde die beiden letzten Maschen der 1. Nadel rechts zusammenstricken und bei der 4. Nadel die beiden ersten Maschen rechts überzogen zusammenstricken = die 1. Masche abheben, die 2. Masche rechts stricken und die abgehobene Masche darüberziehen = 13 Maschen je Nadel.

Nach 16 cm ab Fersenende für die Spitze bei der 1. und 3. Nadel die zweit- und drittletzte Masche rechts zusammenstricken, bei der 2. und 4. Nadel die zweite und dritte Masche rechts überzogen zusammenstricken. Dieses Abnehmen noch 2 x in jeder 3. folgenden Runde, 3 x in jeder 2. folgenden Runde, dann in jeder Runde wiederholen, bis nur noch insgesamt 8 Maschen übrig sind. Diese Maschen mit doppeltem Faden zusammenziehen. Faden vernähen. Den 13 cm breiten Musterteil nach außen umlegen.
Beide Socken gleich arbeiten.

Stulpen

84 Maschen auf 4 Nadeln verteilt mit dem Nadelspiel Nr. 3 – 3 1/2 anschlagen und ca. 13 cm im Muster 1 stricken. Danach in entgegengesetzter Richtung im Halbpatentmuster weiterstricken und dabei in 1. Runde dem Muster entsprechend verteilt 12 Maschen zunehmen = 96 Maschen. Nach ca. 27 cm ab Musterwechsel noch ca. 10 cm im Muster 1 stricken, dabei in 1. Runde verteilt 12 Maschen abnehmen = 84 Maschen. Nach insgesamt ca. 50 cm Gesamthöhe alle Maschen abketten. Die Musterteile nach außen umlegen. Beide Stulpen gleich arbeiten.

Taschenschal

63 Maschen mit Nadeln Nr. 3 – 3 1/2 anschlagen und 150 cm in Halbpatentmuster stricken, alle Maschen abketten. 2 Taschenvorderseiten stricken. Dafür jeweils 77 Maschen mit Nadeln Nr. 3 – 3 1/2 anschlagen und 22 cm im Muster 1 stricken, alle Maschen abketten. Auf jedes Schal-Ende eine Taschenvorderseite nähen.

Handschuhe

Linker Handschuh

56 Maschen = je Nadel 14 Maschen mit Nadeln Nr. 3 – 3 1/2 anschlagen und für das Bündchen 7 cm im Muster 1 stricken. Glatt rechts weiterstricken, dabei in 1. Runde auf 1. und 2. Nadel je 3 Maschen verteilt abnehmen = 11 Maschen und auf 3. und 4. Nadel je 4 Maschen verteilt abnehmen = 10 Maschen = insgesamt 42 Maschen. Für den Daumen nach 6 cm ab Bündchen die letzten 7 Maschen der 1. Nadel auf einem Hilfsfaden stillegen und dafür wieder 7 Maschen neu anschlagen und die Mittelhand weiterstricken. Nach 12 cm Mittelhandhöhe die Maschen für die Finger einteilen:

Den Zeigefinger mit den letzten 6 Maschen der 1. Nadel und den ersten 6 Maschen der 2. Nadel und 2 neuangeschlagenen Maschen für den Steg zwischen Zeige- und Ringfinger = 14 Maschen arbeiten.

Den Mittelfinger mit 2 aus dem Steg aufgefaßten Maschen, den letzten 5 Maschen der 2. Nadel und den ersten 5 Maschen der 1. Nadel und 2 neuangeschlagenen Maschen für den Steg zwischen Mittelfinger und Ringfinger = 14 Maschen arbeiten. Den Ringfinger mit 2 aus dem letzten Steg aufgefaßten Maschen, den ersten 5 Maschen der 3. Nadel, den letzten 5 Maschen der 4. Nadel und 2 neuangeschlagenen Maschen für den Steg zwischen Ring- und kleinem Finger = 14 Maschen arbeiten.

Den kleinen Finger mit den restlichen Maschen und 2 aus dem letzten Steg aufgefaßten Maschen = 12 Maschen arbeiten.

Bis zur Spitze werden Zeige- und Ringfinger 7 cm hoch, der Mittelfinger 7,5 cm und der kleine Finger 5 cm hoch gearbeitet.

Für die Spitze beim Zeigefinger, Mittelfinger und Ringfinger in 1. Spitzenrunde die 1. und 2. Masche und die 8. und 9. Masche rechts zusammenstricken = 12 Maschen, in 2. Spitzenrunde jede 3. und 4. Masche rechts zusammenstricken = 9 Maschen, in folgender Runde jede 2. und 3. Masche rechts zusammenstricken = 6 Maschen und in folgender Runde von Rundenbeginn bis Rundenende immer 2 Maschen rechts zusammenstricken = 3 Maschen. Diese Maschen mit doppeltem Faden zusammenziehen, Faden vernähen. Beim kleinen Finger wird die Spitze mit der 2. Spitzenrunde begonnen.

Für den Daumen zu den stillgelegten 7 Maschen aus den neuangeschlagenen Maschen der Mittelhand 7 Maschen dazu auffassen = 14 Maschen und auf 3 Nadeln verteilen. Den Daumen 5 cm hoch stricken, dann die Spitze arbeiten.
Den rechten Handschuh gegengleich arbeiten.

Mütze und Schal mit Musterbordüre

Mütze

Material:

Lfd. Nr.	Qualität	Farbe	Verbrauch
1	Regia 6fädig	17 kamel	50 g

Nadeln
Nadelspiel Nr. 3 – $3^1/2$

Maschenprobe
22 Maschen und 29 Runden glatt rechts (Nadeln 3,5) = 10 x 10 cm.

Strickmuster
Glatt rechts; in Runden: Alle Runden rechts stricken

Wabenmuster
siehe Schal

Rippenmuster
2 Maschen rechts, 2 Maschen links

Maschenprobe
26 Maschen und 33 Reihen = 10 x 10 cm

Arbeitsanleitung
112 Maschen anschlagen und gleichmäßig auf 4 Nadeln verteilen. In Runden stricken: 8 Runden glatt rechts, anschließend 2 Runden im Rippenmuster, anschließend 14 Runden im Wabenmuster. Weiter im Rippenmuster noch 8 Runden hoch. Mit den Abnahmen beginnen: 1. Runde: ✻ 2 Maschen rechts, 2 Maschen links, 2 Maschen rechts, 2 Maschen links zusammenstricken, ab ✻ fortlaufend wiederholen. 2., 3. und 4. Runde: Maschen stricken, wie sie erscheinen. 5. Runde: ✻ 2 Maschen rechts, 2 Maschen links zusammenstricken, 2 Maschen rechts, 1 Masche links, ab ✻ fortlaufend wiederholen. 6., 7. und 8. Runde: Maschen stricken, wie sie erscheinen. 9. Runde: 1 Masche rechts, 1 Masche wie zum Rechtsstricken abheben, 1 Masche links, die abgehobene Masche über die links gestrickte Masche ziehen, ab ✻ fortlaufend wiederholen. 10. – 14. Runde: Glatt rechts. 15. Runde: Jede 7. und 8. Masche rechts zusammenstricken. 16. – 18. Runde: Glatt rechts. 19. Runde: Jede 6. und 7. Masche rechts zusammenstricken. 16. – 18. Runde: Glatt rechts. 19. Runde: Jede 6. und 7. Masche rechts zusammenstricken. 20. – 22. Runde: Glatt rechts. 23. Runde: Jede 5. und 6. Masche rechts zusammenstricken. 24. Runde: Glatt rechts. 25. Runde: Jede 4. und 5. Masche rechts zusammenstricken. 26. Runde: Glatt rechts. 27. Runde: Jede 3. und 4. Masche rechts zusammenstricken. 28. Runde: Glatt rechts. 29. Runde: Maschen 2 und 2 zusammenstricken, restliche Maschen mit Faden zusammenziehen.

Strickschrift für Musterbordüre

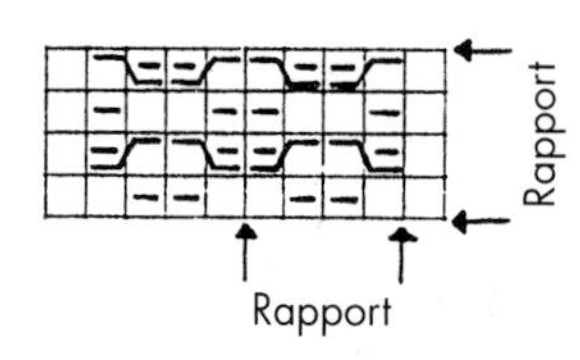

Zeichenerklärung
□ = 1 Masche rechts
⊟ = 1 Masche links
[Symbol] = 1 Masche auf der Zopfnadel vor die Arbeit legen, folgende Masche links, dann die Masche der Zopfnadel rechts stricken.
[Symbol] = die 2. Masche vor der 1. Masche rechts stricken, dann die 1. Masche links stricken

Schal

Material:

Lfd. Nr.	Qualität	Farbe	Verbrauch
1	Regia 6fädig	17 kamel	250 g

Nadeln
Stricknadeln Nr. 3 und 3,5; Zopfnadel, Häkelnadel Nr. 3,5

Strickmuster
Glatt rechts: Hinreihen rechts, Rückreihen links

Wabenmuster
Nach der Strickschrift stricken. Es sind nur Hinreihen gezeichnet, in den Rückreihen Maschen stricken, wie sie erscheinen.

92 Maschen mit Nadeln 3 anschlagen, im Rippenmuster stricken, dabei beidseitig 1 Randmasche arbeiten. Nach 4 cm wechseln auf Wabenmuster, 12 cm hochstricken, anschließend noch 4 Reihen stricken, wie sie erscheinen. In den folgenden Reihen jeweils Linksmaschen zusammenstricken. Wechseln auf Nadeln 3,5 und beidseitig 1 Randmasche, 2 Maschen rechts, 1 Masche links arbeiten, dazwischen 62 Maschen glatt rechts stricken. In 150 cm Länge den Schal gegengleich beenden, wechseln auf Nadeln 3, nach jeweils 2 Maschen rechts und 1 Masche links je 1 Masche links zunehmen. 4 Runden hochstricken, dann 12 Runden Wabenmuster und 4 cm im Rippenmuster. Maschen abketten. 138 Fransen je 32 cm lang schneiden. Für jedes Fransenbündel 3 Fransen zur Hälfte legen, Schlinge mit Häkelnadeln durch eine Rechtsrippe am Schal ziehen, offene Enden des Fransenbündels durch die Schlinge ziehen, Schlinge nicht zu fest anziehen. Fransen begradigen.

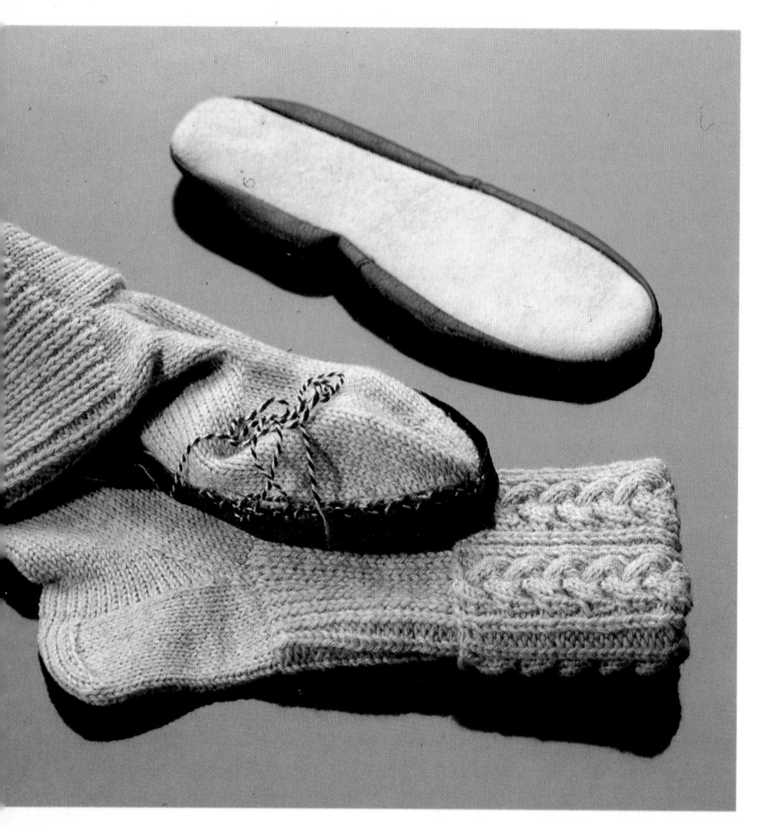

Hüttenschuhe

Mit passenden Sohlen läßt sich aus jedem Paar dicker Socken ein Paar Hüttenschuhe machen, das zum Beispiel im Urlaubsgepäck weniger Platz einnimmt als andere Hausschuhe.

In Handarbeitsgeschäften und Kaufhäusern werden die Ledersohlen mit Schaumstoffeinlage und gelochtem Rand gelegentlich fertig angeboten. Richten Sie sich beim Stricken des Sockenfußes nach der Länge der Sohle, und nähen Sie die Sohle mit farblich abgestimmtem Garn im Kreuzstich an die Strümpfe.